𝕺𝖝𝖋𝖔𝖗𝖉 𝕱𝖗𝖊𝖓𝖈𝖍 𝕾𝖊𝖗𝖎𝖊𝖘

By *AMERICAN SCHOLARS*

GENERAL EDITOR: RAYMOND WEEKS, PH.D.

ATALA and RENÉ

FRANÇOIS–RENÉ de CHATEAUBRIAND

*EDITED WITH AN INTRODUCTION,
NOTES, AND VOCABULARY*

CAROLINE STEWART, PH.D.

ASSISTANT PROFESSOR OF ROMANCE LANGUAGES
THE UNIVERSITY OF MISSOURI

NEW YORK
OXFORD UNIVERSITY PRESS
LONDON, TORONTO, MELBOURNE AND BOMBAY
1926

4+8

C39

8783

From the bust by David d'Angers

CHATEAUBRIAND

TO

MY SISTER

Mary Stewart

PREFACE

THE notes to this edition of "Atala" and "René" lay no great claim to originality. A number of sources have been used, and indebtedness has been acknowledged. The new material concerns especially the identity of Père Aubry, the location of his mission, and Malesherbes (see vocabulary). Through the courtesy of Mme. la Comtesse de Durfort, the great-niece of Chateaubriand, and the unselfish exertions of M. L. Moriceau, artist, and custodian of the museum at Saint-Malo, it has been possible to secure photographs, here published for the first time, of the famous bust at Combourg of Chateaubriand by David d'Angers, made in 1829; of the bronze statue representing Chateaubriand at about the age of thirty-five, by M. Aimé Millet, at Saint-Malo, 1875; and of the engraving of Chateaubriand under the trees of Combourg, in the museum of Saint-Malo. The map reproduces with fair accuracy the main features of the one in Charlevoix, volume I. The helpful interest and valuable counsel of Prof. Raymond Weeks is gratefully acknowledged.

CAROLINE STEWART

Columbia, Missouri,
1925

CONTENTS

vii

INTRODUCTION

CHATEAUBRIAND (1768–1848)

CHATEAUBRIAND was of a family noble but too poor to mingle with court life, too far away to be under its spell. Had he entered the navy, like Saint-Pierre, with the one stimulus of nature, of the ocean, of foreign lands, he would, like Saint-Pierre, have written of what he daily experienced, of the sea and the exotic nature of foreign shores; or left to himself, of his own emotions; and in the presence of nature's majesty and wonders, of God. But Chateaubriand, unlike Saint-Pierre, was not transplanted. He was born into mediævalism, in Saint-Malo, an old-world town with dark, narrow, winding streets, with an ancient surrounding wall entirely about it, its old château and donjon, its Gothic cathedral. Shut up, as it were, on the small island upon which Saint-Malo stands, kept in by the walls, or playing on the beach within the shadow of those walls, he was literally hemmed in by mediævalism. Then too, he was nurtured on stories of the robber knights of old, the corsairs, the Surcoifs, the DuGuesclins. At Dol, more mediævalism, the beautiful Gothic cathedral, the old houses, the moat-surrounded château; at Rennes, more mediævalism still, and no influences of court life to draw his attention away. And Combourg! At last he did not just contemplate mediævalism from the outside, but he lived in an old mediæval château, with battle-mented towers, frowning gray walls almost unpierced even by narrow windows, and calculated solely for defence. At Saint-Malo there had been the ocean and rocks; here there were trees! a forest of trees, abode of solitude, shadows and dreams.

Left to himself, Chateaubriand lived with mediæval-ism and with nature, with his own thoughts, his terrors of the night, and sometimes with God. What else was he to write about but what he lived and breathed every day? Lamartine, similarly situated down at Milly and Saint-Point, also in a mediæval château, of what was he to write but nature, mediævalism, and the reaction to these things within his own soul? It was fortunate that Saint-Pierre, Chateaubriand, Lamartine, were shut out, as it were, from court life, so their eyes could not only behold but see. Thus their emotions were not convention-alized by court prejudices and rules, and it was possible for them to break away and to remain aloof. It was pos-sible for them to be, not replicas of elegant men of the court, but themselves, unsullied by courtly environment, unpolluted by acquired airs, manners and virtues, and therefore original. And when these men began to write, like many other men of literary genius, they brought down to paper what was already within themselves, im-planted there by heredity and environment.

They were different from the seventeenth century,

different from the eighteenth century, not because it was time for a literary revolution, not because there were no fine models of literary style in both the preceding centuries; but because their birth and early life placed them in an environment remote from the influences that bore upon the seventeenth and eighteenth century writers. They represent, not a conventional pattern, moulded by influences, but what the real everyday French people, left to itself, undisturbed, unmoulded, had arrived at in its normal development. They put on paper what the real French people felt and thought and not what social cliques, salons and court had set up as the standard of what men should think and say.

So the poverty of such men as Saint-Pierre and Chateaubriand was a blessing in disguise, for it cracked the iron-clad shell of convention and gave these men to themselves. Had they lived at Paris, at Versailles, at court, we should have had to wait another hundred years for a Chateaubriand.

Chateaubriand, with his poet's insight, his vision, understood his century, and knew what paralyzing influences to avoid. Adventure-loving, and independent, like all the Bretons, he did not follow in the steps of any literary predecessor, but set sail for America. He was groping his way. This act was his protest against all that, in France, the eighteenth century stood for, and, shall we say, was his manifesto and his Declaration of Independence?

"Atala" embodies his poetic impression of what he saw in America. That he did not see all of the United States does not matter to us, and that he consulted sources in composing the final version, also, is immaterial.

As an officer of the royal army, he had taken oath to defend the Bourbons, before he sailed for America. When therefore Louis XVI was made prisoner, Chateaubriand, with his sense of honor, felt it to be his duty to return to France to do what he could to defend the king. He was wounded, and escaped the guillotine by flight to England, where he lived for seven years. He was too proud to tell us that he taught school at Beccles, where the naughty little English lads dubbed him "Mr. Shatterbrain." In the nearby Bungay he fell in love with Charlotte Ives, and he had to give her up, because he was already married. Returning to London, poor, unhappy, an exile, with, as he had been told, only a few months to live, he gave expression in "René" to the sentiments of despair which, in France, after the close of the Revolution, lay dormant more or less in all men's hearts.

We cannot here give an account of Chateaubriand's life. Napoleon,[1] his great contemporary, lies buried on the banks of the Seine, "au milieu de ce peuple français que j'ai tant aimé"; and almost like an echo Chateaubriand on April 14, 1846, writes of his tomb-to-be, on the rocky island facing Saint-Malo, "Je reposerai donc

---

[1] As Lemaître says, "Chateaubriand estimait que Napoléon était, avec lui, le seul grand homme du siècle."

au bord de la mer que j'ai tant aimée." Year by year the visit to that solitary tomb is becoming more and more the pious pilgrimage that M. Le Braz, Chateaubriand's country-man, hopes it will be.

CAROLINE STEWART

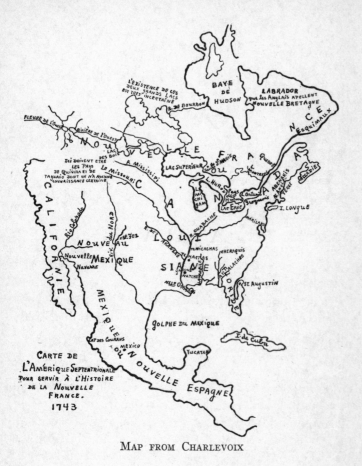

MAP FROM CHARLEVOIX

ATALA

PROLOGUE

La France possédait autrefois dans l'Amérique [septen]tentrionale un vaste empire, qui s'étendait depu[is le] Labrador jusqu'aux Florides, et depuis les riva[ges de] l'Atlantique jusqu'aux lacs les plus reculés d[u] Canada.

Quatre grands fleuves, ayant leurs sources [dans les] mêmes montagnes, divisaient ces régions i[mmenses:] le fleuve Saint-Laurent, qui se perd à l'e[st dans le] golfe de son nom; la rivière de l'Ouest, q[ui porte ses] eaux à des mers inconnues; le fleuve Bou[rbon, qui se] précipite du midi au nord dans la baie d'[Hudson, et le] Meschacebé,[1] qui tombe du nord au [midi dans le] golfe du Mexique.

Ce dernier fleuve, dans un cours d[e plus de mille] lieues, arrose une délicieuse contrée, [que les habitants] des États-Unis appellent le *nouvel É[den*, et à laquelle] les Français ont laissé le doux n[om de Louisiane.] Mille autres fleuves, tributaires [du Meschacebé, le] Missouri, l'Illinois, l'Akanza, l'O[hio, le Wabache, le] Tenase, l'engraissent de leur lim[on et la fertilisent de] leurs eaux. Quand tous ces f[leuves se sont gonflés]

[1] Vrai nom du Mississipi [ou Meschacebé.]

3

des déluges de l'hiver, quand les tempêtes ont abattu des pans entiers de forêts, les arbres déracinés s'assemblent sur les sources. Bientôt la vase les cimente, les lianes les enchaînent, et des plantes, y prenant ra-
5 cine de toutes parts, achèvent de consolider ces débris. Charriés par les vagues écumantes, ils descendent au Meschacebé: le fleuve s'en empare, les pousse au golfe Mexicain, les échoue sur des bancs de sable, et accroît ainsi le nombre de ses embouchures. Par in-
10 tervalles, il élève sa voix en passant sur les monts, et répand ses eaux débordées autour des colonnades des forêts et des pyramides des tombeaux indiens; c'est le Nil des déserts. Mais la grâce est toujours unie à la magnificence dans les scènes de la nature: tandis
15 que le courant du milieu entraîne vers la mer les cadavres des pins et des chênes, on voit sur les deux courants latéraux remonter, le long des rivages, des îles flottantes de pistia et de nénufar, dont les roses jaunes s'élèvent comme de petits pavillons. Des serpents verts, des hérons bleus, des flamants roses, de jeunes crocodiles, s'embarquent passagers sur ces vaisseaux de fleurs, et la colonie, déployant au vent ses voiles d'or, va aborder endormie dans quelque anse tirée du fleuve.

Les deux rives du Meschacebé présentent le tableau le plus extraordinaire. Sur le bord occidental, des savanes se déroulent à perte de vue; leurs flots de verdure, en s'éloignant, semblent monter dans l'azur du ciel, où ils s'évanouissent. On voit dans ces prairies

ATALA

sans bornes errer à l'aventure des troupeaux de trois
ou quatre buffles sauvages. Quelquefois un bison
chargé d'années, fendant les flots à la nage, se vient
coucher, parmi de hautes herbes, dans une île du
Meschacebé. A son front orné de deux croissants, à 5
sa barbe antique et limoneuse, vous le prendriez pour
le dieu du fleuve, qui jette un œil satisfait sur la grandeur de ses ondes et la sauvage abondance de ses rives.

Telle est la scène sur le bord occidental; mais elle
change sur le bord opposé, et forme avec la première 10
un admirable contraste. Suspendus sur le cours des
eaux, groupés sur les rochers et sur les montagnes,
dispersés dans les vallées, des arbres de toutes les
formes, de toutes les couleurs, de tous les parfums, se
mêlent, croissent ensemble, montent dans les airs à 15
des hauteurs qui fatiguent les regards. Les vignes
sauvages, les bignonias, les coloquintes, s'entrelacent
au pied de ces arbres, escaladent leurs rameaux,
grimpent à l'extrémité des branches, s'élancent de
l'érable au tulipier, du tulipier à l'alcée, en formant 20
mille grottes, mille voûtes, mille portiques. Souvent,
égarées d'arbre en arbre, ces lianes traversent des
bras de rivière sur lesquels elles jettent des ponts de
fleurs. Du sein de ces massifs le magnolia élève son
cône immobile; surmonté de ses larges roses blanches, 25
il domine toute la forêt, et n'a d'autre rival que le
palmier, qui balance légèrement auprès de lui ses
éventails de verdure.

Une multitude d'animaux placés dans ces retraites

par la main du Créateur y répandent l'enchantement
et la vie. De l'extrémité des avenues on aperçoit des
ours, enivrés de raisins, qui chancellent sur les branches
des ormeaux; des cariboux se baignent dans un lac;
5 des écureuils noirs se jouent dans l'épaisseur des
feuillages; des oiseaux moqueurs, des colombes de
Virginie, de la grosseur d'un passereau, descendent sur
les gazons rougis par les fraises; des perroquets verts
à têtes jaunes, des piverts empourprés, des cardinaux
10 de feu, grimpent en circulant au haut des cyprès;
des colibris étincellent sur le jasmin des Florides, et
des serpents-oiseleurs sifflent suspendus aux dômes
des bois en s'y balançant comme des lianes.

Si tout est silence et repos dans les savanes de l'autre
15 côté du fleuve, tout ici, au contraire, est mouvement
et murmure: des coups de bec contre le tronc des
chênes, des froissements d'animaux qui marchent,
broutent ou broient entre leurs dents les noyaux de
fruits; des bruissements d'ondes, de faibles gémisse-
20 ments, de sourds meuglements, de doux roucoulements, remplissent ces déserts d'une tendre et sauvage harmonie. Mais quand une brise vient à animer
ces solitudes, à balancer ces corps flottants, à confondre
ces masses de blanc, d'azur, de vert, de rose, à mêler
25 toutes les couleurs, à réunir tous les murmures, alors
il sort de tels bruits du fond des forêts, il se passe de
telles choses aux yeux, que j'essayerais en vain de les
décrire à ceux qui n'ont point parcouru ces champs
primitifs de la nature.

Après la découverte du Meschacebé par le père Marquette et l'infortuné La Salle, les premiers Français qui s'établirent au Biloxi et à la Nouvelle-Orléans firent alliance avec les Natchez, nation indienne dont la puissance était redoutable dans ces contrées. Des querelles et des jalousies ensanglantèrent dans la suite la terre de l'hospitalité. Il y avait parmi ces sauvages un veillard nommé *Chactas* (1), qui, par son âge, sa sagesse et sa science dans les choses de la vie, était le patriarche et l'amour des déserts. Comme tous les hommes, il avait acheté la vertu par l'infortune. Non seulement les forêts du Nouveau-Monde furent remplies de ses malheurs, mais il les porta jusque sur les rivages de la France. Retenu aux galères à Marseille par une cruelle injustice, rendu à la liberté, présenté à Louis XIV, il avait conversé avec les grands hommes de ce siècle et assisté aux fêtes de Versailles, aux tragédies de Racine, aux oraisons funèbres de Bossuet; en un mot, le sauvage avait contemplé la société à son plus haut point de splendeur.

Depuis plusieurs années, rentré dans le sein de sa patrie, Chactas jouissait du repos. Toutefois le ciel lui vendait encore cher cette faveur: le veillard était devenu aveugle. Une jeune fille l'accompagnait sur les coteaux du Meschacebé, comme Antigone guidait les pas d'Œdipe sur le Cythéron, ou comme Malvina conduisait Ossian sur les rochers de Morven.

Malgré les nombreuses injustices que Chactas avait

(1) La voix harmonieuse.

éprouvées de la part des Français, il les aimait. Il se souvenait toujours de Fénelon, dont il avait été l'hôte, et désirait pouvoir rendre quelque service aux compatriotes de cet homme vertueux. Il s'en présenta
5 une occasion favorable. En 1725, un Français nommé *René*, poussé par des passions et des malheurs, arriva à la Louisiane. Il remonta le Meschacebé jusqu'aux Natchez, et demanda à être reçu guerrier de cette nation. Chactas l'ayant interrogé, et le trouvant iné-
10 branlable dans sa résolution l'adopta pour fils, et lui donna pour épouse une Indienne appelée *Céluta*. Peu de temps après ce mariage, les sauvages se préparèrent à la chasse du castor.

Chactas, quoique aveugle, est désigné par le conseil
15 des Sachems[1] pour commander l'expédition, à cause du respect que les tribus indiennes lui portaient. Les prières et les jeûnes commencent; les Jongleurs interprètent les songes; on consulte les Manitous; on fait des sacrifices de pétun; on brûle des filets de langue d'ori-
20 ginal; on examine s'ils pétillent dans la flamme, afin de découvrir la volonté des Génies; on part enfin, après avoir mangé le chien sacré. René est de la troupe. A l'aide de contre-courants, les pirogues remontent le Meschacebé, et entrent dans le lit de l'Ohio. C'est
25 en automne. Les magnifiques déserts du Kentucky se déploient aux yeux étonnés du jeune Français. Une nuit, à la clarté de la lune, tandis que tous les Natchez dorment au fond de leurs pirogues, et que la flotte

[1] Vieillards ou conseillers.

indienne, élevant ses voiles de peaux de bêtes, fuit
devant une légère brise, René, demeuré seul avec
Chactas, lui demande le récit de ses aventures. Le
vieillard consent à le satisfaire, et, assis avec lui sur
la poupe de la pirogue, il commence en ces mots: 5

LE RÉCIT

LES CHASSEURS

« C'est une singulière destinée, mon cher fils, que celle qui nous réunit. Je vois en toi l'homme civilisé qui s'est fait sauvage; tu vois en moi l'homme sauvage que le grand Esprit (j'ignore pour quel dessein) a
5 voulu civiliser. Entrés l'un et l'autre dans la carrière de la vie par les deux bouts opposés, tu es venu te reposer à ma place, et j'ai été m'asseoir à la tienne: ainsi nous avons dû avoir des objets une vue totalement différente. Qui, de toi ou de moi, a le plus gagné
10 ou le plus perdu à ce changement de position? C'est ce que savent les Génies, dont le moins savant a plus de sagesse que tous les hommes ensemble.

« A la prochaine lune des fleurs,[1] il y aura sept fois dix neiges, et trois neiges de plus,[2] que ma mère me
15 mit au monde sur les bords du Meschacebé. Les Espagnols s'étaient depuis peu établis dans la baie de Pensacola, mais aucun blanc n'habitait encore la Louisiane. Je comptais à peine dix-sept chutes de feuilles lorsque je marchai avec mon père, le guerrier
20 Outalissi, contre les Muscogulges, nation puissante des Florides. Nous nous joignîmes aux Espagnols, nos

[1] Mois de mai.
[2] Neige pour année; soixante-treize ans.

10

alliés, et le combat se donna sur une des branches de
la Maubile. Areskoui [1] et les Manitous ne nous furent
pas favorables. Les ennemis triomphèrent: mon père
perdit la vie; je fus blessé deux fois en le défendant.
Oh! que ne descendis-je alors dans le pays des âmes! [2] 5
J'aurais évité les malheurs qui m'attendaient sur la
terre. Les Esprits en ordonnèrent autrement: je fus
entraîné par les fuyards à Saint-Augustin.

« Dans cette ville, nouvellement bâtie par les Espagnols, je courais le risque d'être enlevé pour les 10
mines de Mexico, lorsqu'un vieux Castillan nommé
Lopez, touché de ma jeunesse et de ma simplicité,
m'offrit un asile et me présenta à une sœur avec laquelle il vivait sans épouse.

« Tous les deux prirent pour moi les sentiments les 15
plus tendres. On m'éleva avec beaucoup de soin; on
me donna toutes sortes de maîtres. Mais, après avoir
passé trente lunes à Saint-Augustin, je fus saisi du
dégoût de la vie des cités. Je dépérissais à vue d'œil:
tantôt je demeurais immobile pendant des heures à 20
contempler la cime de loitaines forêts; tantôt on me
trouvait assis au bord d'un fleuve, que je regardais
tristement couler. Je me peignais les bois à travers
lesquels cette onde avait passé, et mon âme était tout
entière à la solitude. 25

« Ne pouvant plus résister à l'envie de retourner au
désert, un matin je me présentai à Lopez, vêtu de mes
habits de sauvage, tenant d'une main mon arc et mes

---

[1] Dieu de la guerre.   [2] Les enfers.

flèches et de l'autre mes vêtements européens. Je les
remis à mon généreux protecteur, aux pieds duquel
je tombai en versant des torrents de larmes. Je me
donnai des noms odieux; je m'accusais d'ingratitude:
5 « Mais enfin, lui dis-je, ô mon père! tu le vois toi-même:
« je meurs si je ne reprends la vie de l'Indien. »

« Lopez, frappé d'étonnement, voulut me détourner
de mon dessein. Il me représenta les dangers que
j'allais courir en m'exposant à tomber de nouveau
10 entre les mains des Muscogulges. Mais, voyant que
j'étais résolu à tout entreprendre, fondant en pleurs
et me serrant dans ses bras: « Va, s'écria-t-il, enfant
« de la nature! Reprends cette indépendance de
« l'homme que Lopez ne te veut point ravir. Si
15 « j'étais plus jeune moi-même, je t'accompagnerais au
« désert (où j'ai aussi de doux souvenirs!), et je te
« remettrais dans les bras de ta mère. Quand tu seras
« dans tes forêts, songe quelquefois à ce vieil Espagnol
« qui te donna l'hospitalité, et rappelle-toi, pour te
20 « porter à l'amour de tes semblables, que la première
« expérience que tu as faite du cœur humain a été
« toute en sa faveur. » Lopez finit par une prière au
Dieu des chrétiens, dont j'avais refusé d'embrasser
le culte, et nous nous quittâmes avec des sanglots.

25   « Je ne tardai pas à être puni de mon ingratitude.
Mon inexpérience m'égara dans les bois, et je fus pris
par un parti de Muscogulges et de Siminoles, comme
Lopez me l'avait prédit. Je fus reconnu pour Natchez
à mon vêtement et aux plumes qui ornaient ma tête.

On m'enchaîna, mais légèrement, à cause de ma jeunesse. Simaghan, le chef de la troupe, voulut savoir mon nom; je répondis: « Je m'appelle *Chactas*, fils « d'Outalissi, fils de Miscou, qui ont enlevé plus de « cent chevelures aux héros muscogulges. » Simaghan 5 me dit: « Chactas, fils d'Outalissi, fils de Miscou, « réjouis-toi: tu seras brûlé au grand village. » Je repartis: « Voilà qui va bien; » et j'entonnai ma chanson de mort.

« Tout prisonnier que j'étais, je ne pouvais, durant 10 les premiers jours, m'empêcher d'admirer mes ennemis. Le Muscogulge, et surtout son allié, le Siminole, respire la gaieté, l'amour, le contentement. Sa démarche est légère, son abord ouvert et serein. Il parle beaucoup et avec volubilité; son langage est har- 15 monieux et facile. L'âge même ne peut ravir aux Sachems cette simplicité joyeuse: comme les vieux oiseaux de nos bois, ils mêlent encore leurs vieilles chansons aux airs nouveaux de leur jeune postérité.

« Les femmes qui accompagnaient la troupe té- 20 moignaient pour ma jeunesse une pitié tendre et une curiosité aimable. Elles me questionnaient sur ma mère, sur les premiers jours de ma vie; elles voulaient savoir si l'on suspendait mon berceau de mousse aux branches fleuries des érables, si les brises m'y balan- 25 çaient auprès du nid des petits oiseaux. C'étaient ensuite mille autres questions sur l'état de mon cœur: elles me demandaient si j'avais vu une biche blanche dans mes songes et si les arbres de la vallée secrète

m'avaient conseillé d'aimer. Je répondais avec naïveté aux mères, aux filles et aux épouses des hommes. Je leur disais: « Vous êtes les grâces du jour, et la nuit « vous aime comme la rosée. L'homme sort de votre
5 « sein pour se suspendre à votre mamelle et à votre « bouche; vous savez des paroles magiques qui en- « dorment toutes les douleurs. Voilà ce que m'a dit « celle qui m'a mis au monde, et qui ne me reverra « plus! Elle m'a dit encore que les vierges étaient des
10 « fleurs mystérieuses, qu'on trouve dans les lieux « solitaires. »

« Ces louanges faisaient beaucoup de plaisir aux femmes: elles me comblaient de toutes sortes de dons; elles m'apportaient de la crème de noix, du
15 sucre d'érable, de la sagamité,[1] des jambons d'ours, des peaux de castor, des coquillages pour me parer et des mousses pour ma couche. Elles chantaient, elles riaient avec moi, et puis elles se prenaient à verser des larmes en songeant que je serais brûlé.

20 « Une nuit que les Muscogulges avaient placé leur camp sur le bord d'une forêt, j'étais assis auprès du *feu de la guerre*, avec le chasseur commis à ma garde. Tout à coup j'entendis le murmure d'un vêtement sur l'herbe, et une femme à demi voilée vint s'asseoir à mes
25 côtés. Des pleurs roulaient sous sa paupière; à la lueur du feu un petit crucifix d'or brillait sur son sein. Elle était régulièrement belle; l'on remarquait sur son visage je ne sais quoi de vertueux et de passionné dont

---

[1] Sorte de pâte de maïs.

l'attrait était irrésistible. Elle joignait à cela des grâces plus tendres: une extrême sensibilité unie à une mélancolie profonde respirait dans ses regards; son sourire était céleste.

« Je crus que c'était la *Vierge des dernières amours*, cette vierge qu'on envoie au prisonnier de guerre pour enchanter sa tombe. Dans cette persuasion, je lui dis en balbutiant et avec un trouble qui pourtant ne venait pas de la crainte du bûcher: « Vierge, vous êtes digne des premières amours, et vous n'êtes « pas faite pour les dernières. Les mouvements d'un « cœur qui va bientôt cesser de battre répondraient « mal aux mouvements du vôtre. Comment mêler la « mort et la vie? Vous me feriez trop regretter le « jour. Qu'un autre soit plus heureux que moi, et « que de longs embrassements unissent la liane et « le chêne! »

« La jeune fille me dit alors: « Je ne suis point la « *Vierge des dernières amours*. Es-tu chrétien? » Je répondis que je n'avais point trahi les Génies de ma cabane. A ces mots l'Indienne fit un mouvement involontaire. Elle me dit: « Je te plains de n'être « qu'un méchant idolâtre. Ma mère m'a faite chré- « tienne; je me nomme *Atala*, fille de Simaghan aux « bracelets d'or et chef des guerriers de cette troupe. « Nous nous rendons à Apalachucla, où tu seras « brûlé. » En prononçant ces mots, Atala se lève et s'éloigne. »

Ici Chactas fut contraint d'interrompre son récit.

Les souvenirs se pressèrent en foule dans son âme;
ses yeux éteints inondèrent de larmes ses joues flétries:
telles deux sources cachées dans la profonde nuit de
la terre se décèlent par les eaux qu'elles laissent filtrer
5 entre les rochers.

« O mon fils! reprit-il enfin: tu vois que Chactas
est bien peu sage, malgré sa renommée de sagesse!
Hélas! mon cher enfant, les hommes ne peuvent déjà
plus voir, qu'ils peuvent encore pleurer! Plusieurs
10 jours s'écoulèrent; la fille du Sachem revenait chaque
soir me parler. Le sommeil avait fui de mes yeux, et
Atala était dans mon cœur comme le souvenir de la
couche de mes pères.

« Le dix-septième jour de marche, vers le temps où
15 l'éphémère sort des eaux, nous entrâmes sur la grande
savane Alachua. Elle est environnée de coteaux qui,
fuyant les uns derrière les autres, portent, en s'élevant
jusqu'aux nues, des forêts étagées de copalmes, de
citronniers, de magnolias et de chênes verts. Le chef
20 poussa le cri d'arrivée, et la troupe campa aux pieds
des collines. On me relégua à quelque distance, au
bord d'un de ces *puits naturels* si fameux dans les
Florides. J'étais attaché au pied d'un arbre; un
guerrier veillait impatiemment auprès de moi. J'avais
25 à peine passé quelques instants dans ce lieu, qu'Atala
parut sous les liquidambars de la fontaine. « Chas-
« seur, dit-elle au héros muscogulge, si tu veux pour-
« suivre le chevreuil, je garderai le prisonnier. » Le
guerrier bondit de joie à cette parole de la fille du chef;

il s'élance du sommet de la colline, et allonge ses pas dans la plaine.

« Étrange contradiction du cœur de l'homme! Moi qui avais tant désiré de dire les choses du mystère à celle que j'aimais déjà comme le soleil, maintenant interdit et confus, je crois que j'eusse préféré d'être jeté aux crocodiles de la fontaine à me trouver seul ainsi avec Atala. La fille du désert était aussi troublée que son prisonnier; nous gardions un profond silence; les Génies de l'amour avaient dérobé nos paroles. Enfin Atala, faisant un effort, dit ceci: «Guerrier, « vous êtes retenu faiblement; vous pouvez aisément « vous échapper. » A ces mots, la hardiesse revint sur ma langue; je répondis: « Faiblement retenu, ô « femme! » Je ne sus comment achever. Atala hésita quelques moments, puis elle dit: « Sauvez-vous. » Et elle me détacha du tronc de l'arbre. Je saisis la corde, je la remis dans la main de la fille étrangère, en forçant ses beaux doigts à se fermer sur ma chaîne. « Reprenez- « la! reprenez-la! » m'écriai-je. — « Vous êtes un in- « sensé, dit Atala d'une voix émue. Malheureux! ne « sais-tu pas que tu seras brûlé? Que prétends-tu? « Songes-tu bien que je suis la fille d'un redoutable « Sachem? » — « Il fut un temps, répliquai-je avec des « larmes, que j'étais aussi porté dans une peau de cas- « tor aux épaules d'une mère. Mon père avait aussi « une belle hutte, et ses chevreuils buvaient les eaux « de mille torrents; mais j'erre maintenant sans patrie. « Quand je ne serai plus, aucun ami ne mettra un peu

« d'herbe sur mon corps pour le garantir des mouches.
« Le corps d'un étranger malheureux n'intéresse per-
« sonne. »

    « Ces mots attendrirent Atala. Ses larmes tom-
5 bèrent dans la fontaine. « Ah! repris-je avec vivacité,
« si votre cœur parlait comme le mien! Le désert
« n'est-il pas libre? Les forêts n'ont-elles point de
« replis où nous cacher? Faut-il donc, pour être
« heureux, tant de choses aux enfants des cabanes!
10 « O fille plus belle que le premier songe de l'époux!
« ô ma bien-aimée! ose suivre mes pas. » Telles furent
mes paroles. Atala me répondit d'une voix tendre:
« Mon jeune ami, vous avez appris le langage des
« blancs; il est aisé de tromper une Indienne. » —
15 « Quoi! m'écriai-je, vous m'appelez votre jeune ami!
« Ah! si un pauvre esclave . . . » — « Eh bien, dit-elle
« en se penchant sur moi, un pauvre esclave . . . » Je
repris avec ardeur: « Qu'un baiser l'assure de ta foi! »
Atala écouta ma prière. Comme un faon semble
20 pendre aux fleurs de lianes roses, qu'il saisit de sa
langue délicate dans l'escarpement de la montagne,
ainsi je restai suspendu aux lèvres de ma bien-aimée.

    « Hélas! mon cher fils, la douleur touche de près au
plaisir! Qui eût pu croire que le moment où Atala me
25 donnait le premier gage de son amour serait celui-là
même où elle détruirait mes espérances? Cheveux
blanchis du vieux Chactas, quel fut votre étonnement
lorsque la fille du Sachem prononça ces paroles: « Beau
« prisonnier, j'ai follement cédé à ton désir; mais où

« nous conduira cette passion ? Ma religion me sépare
« de toi pour toujours ... O ma mère! qu'as-tu fait ?
...» Atala se tut tout à coup, et retint je ne sus quel
fatal secret près d'échapper à ses lèvres. Ses paroles
me plongèrent dans le désespoir. «Eh bien! m'écriai-je, 5
« je serai aussi cruel que vous: je ne fuirai point.
« Vous me verrez dans le cadre de feu; vous enten-
« drez les gémissements de ma chair et vous serez
« pleine de joie.» Atala saisit mes mains entre les
deux siennes. « Pauvre jeune idolâtre, s'écria-t-elle, 10
« tu me fais réellement pitié! Tu veux donc que je
« pleure tout mon cœur ? Quel dommage que je ne
« puisse fuir avec toi! Malheureux a été le ventre de
« ta mère, ô Atala! Que ne te jettes-tu au crocodile
« de la fontaine ? »

« Dans ce moment même, les crocodiles, aux ap- 15
proches du coucher du soleil, commençaient à faire
entendre leurs rugissements. Atala me dit: « Quittons
« ces lieux. » J'entraînai la fille de Simaghan au pied
des coteaux qui formaient des golfes de verdure en 20
avançant leurs promontoires dans la savane. Tout
était calme et superbe au désert. La cigogne criait
sur son nid; les bois retentissaient du chant mono-
tone des cailles, du sifflement des perruches, du mugissement des bisons et du hennissement des cavales 25
siminoles.

« Notre promenade fut presque muette. Je marchais à côté d'Atala; elle tenait le bout de la corde que
je l'avais forcée de reprendre. Quelquefois nous ver-

sions des pleurs, quelquefois nous essayions de sourire.
Un regard tantôt levé vers le ciel, tantôt attaché à la
terre, une oreille attentive au chant de l'oiseau, un
geste vers le soleil couchant, une main tendrement
5 serrée, un sein tour à tour palpitant, tour à tour tranquille, les noms de Chactas et d'Atala doucement
répétés par intervalles ... O première promenade de
l'amour! il faut que votre souvenir soit bien puissant,
puisque après tant d'années d'infortune vous remuez
10 encore le cœur du vieux Chactas!

    « Qu'ils sont incompréhensibles les mortels agités
par des passions! Je venais d'abandonner le généreux
Lopez, je venais de m'exposer à tous les dangers pour
être libre: dans un instant le regard d'une femme
15 avait changé mes goûts, mes résolutions, mes pensées!
Oubliant mon pays, ma mère, ma cabane et la mort
affreuse qui m'attendait, j'étais devenu indifférent à
tout ce qui n'était pas Atala. Sans force pour m'élever
à la raison de l'homme, j'étais retombé tout à coup dans
20 une espèce d'enfance; et loin de pouvoir rien faire
pour me soustraire aux maux qui m'attendaient,
j'aurais eu presque besoin qu'on s'occupât de mon
sommeil et de ma nourriture.

    « Ce fut donc vainement qu'après nos courses dans
25 la savane, Atala, se jetant à mes genoux, m'invita de
nouveau à la quitter. Je lui protestai que je retourne-
rais seul au camp si elle refusait de me rattacher au
pied de mon arbre. Elle fut obligée de me satisfaire,
espérant me convaincre une autre fois.

« Le lendemain de cette journée, qui décida du destin
de ma vie, on s'arrêta dans une vallée, non loin de
Cuscowila, capitale des Siminoles. Ces Indiens, unis
aux Muscogulges, forment avec eux la confédération
des Creeks. La fille du pays des palmiers vint me 5
trouver au milieu de la nuit. Elle me conduisit dans
une grande forêt de pins, et renouvela ses prières pour
m'engager à la fuite. Sans lui répondre, je pris sa
main dans ma main, et je forçai cette biche altérée
d'errer avec moi dans la forêt. La nuit était déli- 10
cieuse. Le Génie des airs secouait sa chevelure
bleue, embaumée de la senteur des pins, et l'on
respirait la faible odeur d'ambre qu'exhalaient les
crocodiles couchés sous les tamarins des fleuves. La
lune brillait au milieu d'un azur sans tache, et sa 15
lumière gris de perle descendait sur la cime indéterminée des forêts. Aucun bruit ne se faisait entendre, hors je ne sais quelle harmonie lointaine
qui régnait dans la profondeur des bois: on eût dit
que l'âme de la solitude soupirait dans toute l'étendue 20
du désert.

« Nous aperçûmes à travers les arbres un jeune
homme qui, tenant à la main un flambeau, ressemblait au Génie du printemps parcourant les forêts
pour ranimer la nature; c'était un amant qui allait 25
s'instruire de son sort à la cabane de sa maîtresse.

« Si la vierge éteint le flambeau, elle accepte les
vœux offerts; si elle se voile sans l'éteindre, elle re-
jette un époux.

« Le guerrier, en se glissant dans les ombres, chantait à demi-voix ces paroles:

« Je devancerai les pas du jour sur le sommet des
« montagnes pour chercher ma colombe solitaire parmi
5 « les chênes de la forêt.

« J'ai attaché à son cou un collier de porcelaines [1];
« on y voit trois grains rouges pour mon amour, trois
« violets pour mes craintes, trois bleus pour mes es-
« pérances.

10 « Mila a les yeux d'une hermine et la chevelure
« légère d'un champ de riz; sa bouche est un coquillage
« rose garni de perles; ses deux seins sont comme
« deux petits chevreaux sans tache, nés au même jour,
« d'une seule mère.

15 « Puisse Mila éteindre ce flambeau! Puisse sa
« bouche verser sur lui une ombre voluptueuse! Je
« fertiliserai son sein. L'espoir de la patrie pendra à
« sa mamelle féconde, et je fumerai mon calumet de
« paix sur le berceau de mon fils.

20 « Ah! laissez-moi devancer les pas du jour sur le
« sommet des montagnes pour chercher ma colombe
« solitaire parmi les chênes de la forêt! »

« Ainsi chantait ce jeune homme, dont les accents
portèrent le trouble jusqu'au fond de mon âme et
25 firent changer de visage à Atala. Nos mains unies
frémirent l'une dans l'autre. Mais nous fûmes distraits
de cette scène par une scène non moins dangereuse
pour nous.

---

[1] Sorte de coquillage.

« Nous passâmes auprès du tombeau d'un enfant,
qui servait de limites à deux nations. On l'avait
placé au bord du chemin, selon l'usage, afin que les
jeunes femmes, en allant à la fontaine, pussent attirer
dans leur sein l'âme de l'innocente créature et la 5
rendre à la patrie. On y voyait dans ce moment des
épouses nouvelles qui, désirant les douceurs de la
maternité, cherchaient, en entr'ouvrant leurs lèvres,
à recueillir l'âme du petit enfant, qu'elles croyaient
voir errer sur les fleurs. La véritable mère vint en- 10
suite déposer une gerbe des maïs et des fleurs de lis
blanc sur le tombeau. Elle arrosa la terre de son lait,
s'assit sur le gazon humide et parla à son enfant d'une
voix attendrie:

« Pourquoi te pleuré-je dans ton berceau de terre, 15
« ô mon nouveau-né ! Quand le petit oiseau devient
« grand, il faut qu'il cherche sa nourriture, et il trouve
« dans le désert bien des graines amères. Du moins tu
« as ignoré les pleurs; du moins ton cœur n'a point
« été exposé au souffle dévorant des hommes. Le 20
« bouton qui sèche dans son enveloppe passe avec
« tous ses parfums, comme toi, ô mon fils ! avec toute
« ton innocence. Heureux ceux qui meurent au ber-
« ceau; ils n'ont connu que les baisers et les sourires
« d'une mère ! »   25

« Déjà subjugués par notre propre cœur, nous fûmes
accablés par ces images d'amour et de maternité, qui
semblaient nous poursuivre dans ces solitudes enchantées. J'emportai Atala dans mes bras au fond

de la forêt, et je lui dis des choses qu'aujourd'hui je chercherais en vain sur mes lèvres. Le vent du midi, mon cher fils, perd sa chaleur en passant sur des montagnes de glace. Les souvenirs de l'amour dans le
5 cœur d'un veillard sont comme les feux du jour réfléchis par l'orbe paisible de la lune, lorsque le soleil est couché et que le silence plane sur la hutte des sauvages.

« Qui pouvait sauver Atala ? qui pouvait l'empêcher
10 de succomber à la nature ? Rien qu'un miracle, sans doute; et ce miracle fut fait! La fille de Simaghan eut recours au Dieu des chrétiens; elle se précipita sur la terre, et prononça une fervente oraison, adressée à sa mère et à la Reine des vierges. C'est de ce mo-
15 ment, ô René! que j'ai conçu une merveilleuse idée de cette religion qui dans les forêts, au milieu de toutes les privations de la vie, peut remplir de mille dons les infortunés; de cette religion qui, opposant sa puissance au torrent des passions, suffit seule pour
20 les vaincre, lorsque tout les favorise, et le secret des bois, et l'absence des hommes, et la fidélité des ombres. Ah! qu'elle me parut divine, la simple sauvage, l'ignorante Atala, qui à genoux devant un vieux pin tombé, comme au pied d'un autel, offrait à son Dieu des
25 vœux pour un amant idolâtre! Ses yeux levés vers l'astre de la nuit, ses joues brillantes des pleurs de la religion et de l'amour, étaient d'une beauté immortelle. Plusieurs fois il me sembla qu'elle allait prendre son vol vers les cieux, plusieurs fois je crus voir des-

cendre sur les rayons de la lune et entendre dans
les branches des arbres ces Génies que le Dieu des
chrétiens envoie aux ermites des rochers, lorsqu'il
se dispose à les rappeler à lui. J'en fus affligé, car je
craignis qu'Atala n'eût que peu de temps à passer sur 5
la terre.

« Cependant elle versa tant de larmes, elle se montra
si malheureuse, que j'allais peut-être consentir à
m'éloigner, lorsque le cri de mort retentit dans la
forêt. Quatre hommes armés se précipitent sur moi: 10
nous avions été découverts, le chef de guerre avait
donné l'ordre de nous poursuivre.

« Atala, qui ressemblait à une reine pour l'orgueil de
la démarche, dédaigna de parler à ces guerriers. Elle
leur lança un regard superbe, et se rendit auprès de 15
Simaghan.

« Elle ne put rien obtenir. On redoubla mes gardes,
on multiplia mes chaînes, on écarta mon amante.
Cinq nuits s'écoulent, et nous apercevons Apalachucla,
situé au bord de la rivière Chata-Uche. Aussitôt on 20
me couronne de fleurs; on me peint le visage d'azur
et de vermillon; on m'attache des perles au nez et aux
oreilles et l'on me met à la main un chichikoué.[1]

« Ainsi paré pour le sacrifice, j'entre dans Apalachucla aux cris répétés de la foule. C'en était fait de 25
ma vie, quand tout à coup le bruit d'une conque se
fait entendre, et le Mico, ou chef de la nation, or-
donne de s'assembler.

[1] Instrument de musique des sauvages.

« Tu connais, mon fils, les tourments que les sauvages font subir aux prisonniers de guerre. Les missionnaires chrétiens, au péril de leurs jours et avec une
charité infatigable, étaient parvenus chez plusieurs
5 nations à faire substituer un esclavage assez doux aux
horreurs du bûcher. Les Muscogulges n'avaient point
encore adopté cette coutume, mais un parti nombreux
s'était déclaré en sa faveur. C'était pour prononcer
sur cette importante affaire que le Mico convoquait
10 les Sachems. On me conduit au lieu des délibérations.

« Non loin d'Apalachucla s'élevait, sur un tertre
isolé, le pavillon du conseil. Trois cercles de colonnes
formaient l'élégante architecture de cette retonde.
Les colonnes étaient de cyprès poli et sculpté; elles
15 augmentaient en hauteur et en épaisseur et dimi-
nuaient en nombre à mesure qu'elles se rapprochaient
du centre, marqué par un pilier unique. Du sommet
de ce pilier partaient des bandes d'écorce, qui, passant
sur le sommet des autres colonnes, couvraient le pa-
20 villon en forme d'éventail à jour.

« Le conseil s'assemble. Cinquante vieillards, en
manteau de castor, se rangent sur des espèces de
gradins faisant face à la porte du pavillon. Le grand
chef est assis au milieu d'eux, tenant à la main le
25 calumet de paix à demi coloré pour la guerre. A la
droite des vieillards se placent cinquante femmes couvertes d'une robe de plumes de cygne. Les chefs de
guerre, le tomahawk [1] à la main, le pennage en tête,

[1] La hache.

les bras et la poitrine teints de sang, prennent la
gauche.

« Au pied de la colonne centrale brûle le feu du conseil. Le premier Jongleur, environné des huit gardiens
du temple, vêtu de longs habits et portant un hibou
empaillé sur sa tête, verse du baume de copalme sur
la flamme et offre un sacrifice au soleil. Ce triple rang
de vieillards, de matrones, de guerriers; ces prêtres,
ces nuages d'encens, ce sacrifice, tout sert à donner à
ce conseil un appareil imposant.

« J'étais debout, enchaîné, au milieu de l'assemblée.
Le sacrifice achevé, le Mico prend la parole et expose
avec simplicité l'affaire qui rassemble le conseil. Il
jette un collier bleu dans la salle en témoignage de ce
qu'il vient de dire.

« Alors un Sachem de la tribu de l'Aigle se lève et
parle ainsi.

« Mon père le Mico, Sachems, matrones, guerriers
« des quatre tribus de l'Aigle, du Castor, du Serpent
« et de la Tortue, ne changeons rien aux mœurs de
« nos aïeux; brûlons le prisonnier, et n'amollissons
« point nos courages. C'est une coutume des blancs
« qu'on vous propose, elle ne peut être que pernicieuse.
« Donnez un collier rouge qui contienne mes paroles.
« J'ai dit. »

« Et il jette un collier rouge dans l'assemblée.

« Une matrone se lève et dit:

« Mon père l'Aigle, vous avez l'esprit d'un renard
« et la prudente lenteur d'une tortue. Je veux polir

« avec vous la chaîne d'amitié, et nous planterons en-
« semble l'arbre de paix. Mais changeons les coutumes
« de nos aïeux en ce qu'elles ont de funeste. Ayons
« des esclaves qui cultivent nos champs, et n'entendons
5 « plus les cris des prisonniers, qui troublent le sein des
« mères. J'ai dit. »

« Comme on voit les flots de la mer se briser pendant
un orage, comme en automne les feuilles séchées sont
enlevées par un tourbillon, comme les roseaux du
10 Meschacebé plient et se relèvent dans une inondation
subite, comme un grand troupeau de cerfs brame au
fond d'une forêt, ainsi s'agitait et murmurait le conseil. Des Sachems, des guerriers, des matrones parlent
tour à tour ou tous ensemble. Les intérêts se cho-
15 quent, les opinions se divisent, le conseil va se dis-
soudre, mais enfin l'usage antique l'emporte et je suis
condamné au bûcher.

« Une circonstance vint retarder mon supplice: la
Fête des morts ou *Festin des âmes* approchait. Il est
20 d'usage de ne faire mourir aucun captif pendant les
jours consacrés à cette cérémonie. On me confia à
une garde sévère, et sans doute les Sachems éloign-
èrent la fille de Simaghan, car je ne la revis plus.

« Cependant les nations de plus de trois cents lieues
25 à la ronde arrivaient en foule pour célébrer le *Festin
des âmes*. On avait bâti une longue hutte sur un site
écarté. Au jour marqué, chaque cabane exhuma les
restes de ses pères de leurs tombeaux particuliers, et
l'on suspendit les squelettes, par ordre et par famille, aux

murs de la *Salle commune des aïeux*. Les vents (une tempête s'était élevée), les forêts, les cataractes mugissaient au dehors, tandis que les vieillards des diverses nations concluaient entre eux des traités de paix et d'alliance sur les os de leurs pères.

« On célèbre les jeux funèbres, la course, la balle, les osselets. Deux vierges cherchent à s'arracher une baguette de saule. Les boutons de leurs seins viennent se toucher; leurs mains voltigent sur la baguette, quelles élèvent au-dessus de leurs têtes. Leurs beaux pieds nus s'entrelacent, leurs bouches se rencontrent, leurs douces haleines se confondent; elles se penchent et mêlent leurs chevelures; elles regardent leurs mères, rougissent: on applaudit.[1] Le Jongleur invoque Michabou, génie des eaux. Il raconte les guerres du grand Lièvre contre Matchimanitou, dieu du mal. Il dit le premier homme et Atahensic la première femme, précipités du ciel pour avoir perdu l'innocence, la terre rougie du sang fraternel, Jouskeka l'impie immolant le juste Tahouistsaron, le déluge descendant à la voix du grand Esprit, Massou sauvé seul dans son canot d'écorce, et le corbeau envoyé à la découverte de la terre; il dit encore la belle Endaé, retirée de la contrée des âmes par les douces chansons de son époux.

« Après ces jeux et ces cantiques, on se prépare à donner aux aïeux une éternelle sépulture.

« Sur les bords de la rivière Chata-Uche se voyait un

---

[1] La rougeur est sensible chez les jeunes sauvages.

figuier sauvage, que le culte des peuples avait consacré. Les vierges avaient accoutumé de laver leurs
robes d'écorce dans ce lieu et de les exposer au souffle
du désert, sur les rameaux de l'arbre antique. C'était
5 là qu'on avait creusé un immense tombeau. On part
de la salle funèbre en chantant l'hymne à la mort,
chaque famille porte quelques débris sacrés. On arrive
à la tombe, on y descend les reliques; on les y étend
par couches, on les sépare avec des peaux d'ours et
10 de castor; le mont du tombeau s'élève, et l'on y
plante l'*Arbre des pleurs et du sommeil.*

« Plaignons les hommes, mon cher fils! Ces mêmes
Indiens dont les coutumes sont si touchantes, ces
mêmes femmes qui m'avaient témoigné un intérêt si
15 tendre, demandaient maintenant mon supplice à
grands cris, et des nations entières retardaient leur
départ pour avoir le plaisir de voir un jeune homme
souffrir des tourments épouvantables.

« Dans une vallée au nord, à quelque distance du
20 grand village, s'élevait un bois de cyprès et de sapins,
appelé le *Bois du sang.* On y arrivait par les ruines
d'un de ces monuments dont on ignore l'origine, et qui
sont l'ouvrage d'un peuple maintenant inconnu. Au
centre de ce bois s'étendait une arène où l'on sacrifiait
25 les prisonniers de guerre. On m'y conduit en triomphe.
Tout se prépare pour ma mort: on plante le poteau
d'Areskoui; les pins, les ormes, les cyprès tombent
sous la cognée; le bûcher s'élève; les spectateurs bâ-
tissent des amphithéâtres avec des branches et des

troncs d'arbres. Chacun invente un supplice: l'un se
propose de m'arracher la peau du crâne, l'autre de me
brûler les yeux avec des haches ardentes. Je commence ma chanson de mort:

« Je ne crains point les tourments: je suis brave, ô 5
« Muscogulges! Je vous défie; je vous méprise plus
« que des femmes. Mon père Outalissi, fils de Miscou,
« a bu dans le crâne de vos plus fameux guerriers;
« vous n'arracherez pas un soupir de mon cœur. »

« Provoqué par ma chanson, un guerrier me perça 10
le bras d'une flèche; je dis: « Frère, je te remercie. »

« Malgré l'activité des bourreaux, les préparatifs du
supplice ne purent être achevés avant le coucher du
soleil. On consulta le Jongleur, qui défendit de troubler les Génies des ombres, et ma mort fut encore 15
suspendue jusqu'au lendemain. Mais, dans l'impa-
tience de jouir du spectacle et pour être plus tôt prêts
au lever de l'aurore, les Indiens ne quittèrent point le
Bois du sang; ils allumèrent de grands feux et commencèrent des festins et des danses. 20

« Cependant on m'avait étendu sur le dos. Des
cordes partant de mon cou, de mes pieds, de mes
bras, allaient s'attacher à des piquets enfoncés en
terre. Des guerriers étaient couchés sur ces cordes, et
je ne pouvais faire un mouvement sans qu'il n'en fus- 25
sent avertis. La nuit s'avance: les chants et les
danses cessent par degrés; les feux ne jettent plus que
des lueurs rougeâtres, devant lesquelles on voit encore
passer les ombres de quelques sauvages; tout s'en-

dort: à mesure que le bruit des hommes s'affaiblit, celui du désert augmente, et au tumulte des voix succèdent les plaintes du vent dans la forêt.

« C'était l'heure où une jeune Indienne qui vient
5 d'être mère se réveille en sursaut au milieu de la nuit, car elle a cru entendre les cris de son premier-né, qui lui demande la douce nourriture. Les yeux attachés au ciel, où le croissant de la nuit errait dans les nuages, je réfléchissais sur ma destinée. Atala me
10 semblait un monstre d'ingratitude: m'abandonner au moment du supplice, moi qui m'étais dévoué aux flammes plutôt que de la quitter! Et pourtant je sentais que je l'aimais toujours et que je mourrais avec joie pour elle.

15 « Il est dans les extrêmes plaisirs un aiguillon qui nous éveille, comme pour nous avertir de profiter de ce moment rapide; dans les grandes douleurs, au contraire, je ne sais quoi de pesant nous endort: des yeux fatigués par les larmes cherchent naturellement à se
20 fermer, et la bonté de la Providence se fait ainsi remarquer jusque dans nos infortunes. Je cédai malgré moi à ce lourd sommeil que goûtent quelquefois les misérables. Je rêvais qu'on m'ôtait mes chaînes; je croyais sentir ce soulagement qu'on éprouve lorsque,
25 après avoir été fortement pressé, une main secourable relâche nos fers.

« Cette sensation devint si vive qu'elle me fit soulever les paupières. A la clarté de la lune, dont un rayon s'échappait entre deux nuages, j'entrevois une

grande figure blanche penchée sur moi et occupée à
dénouer silencieusement mes liens. J'allais pousser
un cri, lorsqu'une main, que je reconnus à l'instant,
me ferma la bouche. Une seule corde restait, mais il
paraissait impossible de la couper sans toucher un _5
guerrier qui la couvrait tout entière de son corps.
Atala y porte la main; le guerrier s'éveille à demi, et
se dresse sur son séant. Atala reste immobile et le
regarde. L'Indien croit voir l'Esprit des ruines; il
se recouche en fermant les yeux et en invoquant son 10
Manitou. Le lien est brisé. Je me lève; je suis ma
libératrice, qui me tend le bout d'un arc dont elle
tient l'autre extrémité. Mais que de dangers nous
environnent! Tantôt nous sommes prêts de heurter
des sauvages endormis; tantôt une garde nous inter- 15
roge, et Atala répond en changeant sa voix. Des enfants poussent des cris, des dogues aboient. A peine
sommes-nous sortis de l'enceinte funeste, que des
hurlements ébranlent la forêt. Le camp se réveille,
mille feux s'allument, on voit courir de tous côtés des 20
sauvages avec des flambeaux: nous précipitons notre
course.

« Quand l'aurore se leva sur les Apalaches, nous
étions déjà loin. Quelle fut ma félicité lorsque je me
trouvai encore une fois dans la solitude avec Atala, 25
avec Atala ma libératrice, avec Atala qui se donnait
à moi pour toujours! Les paroles manquèrent à ma
langue; je tombai à genoux, et je dis à la fille de
Simaghan: «Les hommes sont bien peu de chose;

« mais quand les Génies les visitent, alors ils ne sont
« rien du tout.   Vous êtes un Génie, vous m'avez
visité, et je ne puis parler devant vous. »   Atala me
tendit la main avec un sourire: « Il faut bien, dit-elle,
5 « que je vous suive, puisque vous ne voulez pas fuir
« sans moi.   Cette nuit, j'ai séduit le Jongleur par des
« présents, j'ai enivré vos bourreaux avec de l'essence
« de feu,[1] et j'ai dû hasarder ma vie pour vous, puisque
« vous aviez donné la vôtre pour moi.   Oui, jeune
10 « idolâtre, ajouta-t-elle avec un accent qui m'effraya,
« le sacrifice sera réciproque. »

      « Atala me remit les armes qu'elle avait eu soin
d'apporter, ensuite elle pansa ma blessure.   En l'essuyant avec une feuille de papaya, elle la mouillait de
15 ses larmes.   « C'est un baume, lui dis-je, que tu ré-
« pands sur ma plaie. — Je crains plutôt que ce ne
« soit un poison, » répondit-elle.   Elle déchira un des
« voiles de son sein, dont elle fit une première com-
« presse, qu'elle attacha avec une boucle de ses cheveux.

20   « L'ivresse, qui dure longtemps chez les sauvages et
qui est pour eux une espèce de maladie, les empêcha
sans doute de nous poursuivre durant les premières
journées.   S'ils nous cherchèrent ensuite, il est pro-
bable que ce fut du côté du couchant, persuadés que
25 nous aurions essayé de nous rendre au Meschacebé;
mais nous avions pris notre route vers l'étoile immobile,[2] en nous dirigeant sur la mousse du tronc des
arbres.

---

[1] De l'eau-de-vie.   [2] Le nord.

« Nous ne tardâmes pas à nous apercevoir que nous avions peu gagné à ma délivrance. Le désert déroulait maintenant devant nous ses solitudes démesurées. Sans expérience de la vie des forêts, détournés de notre vrai chemin et marchant à l'aventure, qu'allions-nous devenir ? Souvent, en regardant Atala, je me rappelais cette antique histoire d'Agar, que Lopez m'avait fait lire, et qui est arrivée dans le désert de Bersabée, il y a bien longtemps, alors que les hommes vivaient trois âges de chêne.

« Atala me fit un manteau avec la seconde écorce du frêne, car j'étais presque nu. Elle me broda des mocassins [1] de peau de rat musqué avec du poil de porc-épic. Je prenais soin à mon tour de sa parure. Tantôt je lui mettais sur la tête une couronne de ces mauves bleues que nous trouvions sur notre route dans des cimetières indiens abandonnés ; tantôt je lui faisais des colliers avec des graines rouges d'azalea, et puis je me prenais à sourire en contemplant sa merveilleuse beauté.

« Quand nous rencontrions un fleuve, nous le passions sur un radeau ou à la nage. Atala appuyait une de ses mains sur mon épaule, et, comme deux cygnes voyageurs, nous traversions ces ondes solitaires.

« Souvent, dans les grandes chaleurs du jour, nous cherchions un abri sous les mousses des cèdres. Presque tous les arbres de la Floride, en particulier le cèdre et le chêne vert, sont couverts d'une mousse

[1] Chaussure indienne.

blanche qui descend de leurs rameaux jusqu'à terre. Quand la nuit, au clair de la lune, vous apercevez sur la nudité d'une savane une yeuse isolée revêtue de cette draperie, vous croiriez voir un fantôme traînant 5 après lui ses longs voiles. La scène n'est pas moins pittoresque au grand jour, car une foule de papillons, de mouches brillantes, de colibris, de perruches vertes, de geais d'azur, vient s'accrocher à ces mousses, qui produisent alors l'effet d'une tapisserie en laine blanche 10 où l'ouvrier européen aurait brodé des insectes et des oiseaux éclatants.

« C'était dans ces riantes hôtelleries, préparées par le grand Esprit, que nous nous reposions à l'ombre. Lorsque les vents descendaient du ciel pour balancer 15 ce grand cèdre, que le château aérien bâti sur ses branches allait flottant avec les oiseaux et les voyageurs endormis sous ses abris, que mille soupirs sortaient des corridors et des voûtes du mobile édifice, jamais les merveilles de l'ancien Monde n'ont approché 20 de ce monument du désert.

«Chaque soir nous allumions un grand feu et nous bâtissions la hutte du voyage avec une écorce élevée sur quatre piquets. Si j'avais tué une dinde sauvage, un ramier, un faisan des bois, nous le suspendions 25 devant le chêne embrasé, au bout d'une gaule plantée en terre, et nous abandonnions au vent le soin de tourner la proie du chasseur. Nous mangions des mousses appelées *tripes de roche*, des écorces sucrées de bouleau, et des pommes de mai, qui ont le goût de

la pêche et de la framboise. Le noyer noir, l'érable,
le sumac, fournissaient le vin à notre table. Quelquefois j'allais chercher parmi les roseaux une plante dont
la fleur allongée en cornet contenait un verre de la plus
pure rosée. Nous bénissions la Providence qui, sur
la faible tige d'une fleur, avait placé cette source limpide au milieu des marais corrompus, comme elle a
mis l'espérance au fond des cœurs ulcérés par le
chagrin, comme elle a fait jaillir la vertu du sein des
misères de la vie !

« Hélas ! je découvris bientôt que je m'étais trompé
sur le calme apparent d'Atala. A mesure que nous
avancions, elle devenait triste. Souvent elle tressail-
lait sans cause et tournait précipitamment la tête. Je
la surprenais attachant sur moi un regard passionné
qu'elle reportait vers le ciel avec une profonde mélancolie. Ce qui m'effrayait surtout était un secret, une
pensée cachée au fond de son âme, que j'entrevoyais
dans ses yeux. Toujours m'attirant et me repoussant,
ranimant et détruisant mes espérances quand je
croyais avoir fait un peu de chemin dans son cœur, je
me retrouvais au même point. Que de fois elle m'a dit :
« O mon jeune amant ! je t'aime comme l'ombre des
« bois au milieu du jour ! Tu es beau comme le désert
« avec toutes ses fleurs et toutes ses brises. Si je me
« penche sur toi, je frémis ; si ma main tombe sur la
« tienne, il me semble que je vais mourir. L'autre
« jour le vent jeta tes cheveux sur mon visage tandis
« que tu te délassais sur mon sein, je crus sentir le

« léger toucher des Esprits invisibles. Oui, j'ai vu les
« chevrettes de la montagne d'Occone, j'ai entendu les
« propos des hommes rassasiés de jours: mais la dou-
« ceur des chevreaux et la sagesse des vieillards sont
5 « moins plaisantes et moins fortes que tes paroles.
« Eh bien, pauvre Chactas, je ne serai jamais ton
épouse!»

   « Les perpétuelles contradictions de l'amour et de
la religion d'Atala, l'abandon de sa tendresse et la
10 chasteté de ses mœurs, la fierté de son caractère et sa
profonde sensibilité, l'élévation de son âme dans les
grandes choses, sa suceptibilité dans les petites, tout
en faisait pour moi un être incompréhensible. Atala
ne pouvait pas prendre sur un homme un faible em-
15 pire: pleine de passion, elle était pleine de puissance;
il fallait ou l'adorer ou la haïr.

   « Après quinze nuits d'une marche précipitée, nous
entrâmes dans la chaîne des monts Alléganys et nous
atteignîmes une des branches du Tenase, fleuve qui se
20 jette dans l'Ohio. Aidé des conseils d'Atala, je bâtis
un canot, que j'enduisis de gomme de prunier, après
en avoir recousu les écorces avec des racines de sapin.
Ensuite je m'embarquai avec Atala, et nous nous
abandonnâmes au cours du fleuve.

25   « Le village indien de Sticoé, avec ses tombes pyra-
midales et ses huttes en ruine, se montrait à notre
gauche, au détour d'un promontoire; nous laissions à
droite la vallée de Keow, terminée par la perspective
des cabanes de Jore, suspendues au front de la mon-

tagne du même nom. Le fleuve qui nous entraînait
coulait entre de hautes falaises, au bout desquelles on
apercevait le soleil couchant. Ces profondes solitudes
n'étaient point troublées par la présence de l'homme.
Nous ne vîmes qu'un chasseur indien qui, appuyé sur 5
son arc et immobile sur la pointe d'un rocher, ressemblait à une statue élevée dans la montagne au Génie de
ces déserts.

« Atala et moi nous joignions notre silence au silence
de cette scène. Tout à coup la fille de l'exil fit éclater 10
dans les airs une voix pleine d'émotion et de mélancolie; elle chantait la patrie absente:

« Heureux ceux qui n'ont point vu la fumée des
« fêtes de l'étranger et qui ne se sont assis qu'aux
« festins de leurs pères !   15

« Si le geai bleu du Meschacebé disait à la nonpareille
« des Florides: Pourquoi vous plaignez-vous si triste-
« ment ? n'avez-vous pas ici de belles eaux et de beaux
« ombrages, et toutes sortes de pâtures comme dans
« vos forêts ? Oui, répondrait la nonpareille fugitive, 20
« mais mon nid est dans le jasmin: qui me l'apportera ?
« Et le soleil de ma savane, l'avez-vous ?

« Heureux ceux qui n'ont point vu la fumée des
« fêtes de l'étranger et qui ne se sont assis qu'aux
« festins de leurs pères !   25

« Après les heures d'une marche pénible, le voyageur
« s'assied tranquillement. Il contemple autour de lui
« les toits des hommes; le voyageur n'a pas un lieu où
« reposer sa tête. Le voyageur frappe à la cabane, il

« met son arc derrière la porte, il demande l'hospi-
« talité; le maître fait un geste de la main; le voyageur
« reprend son arc, et retourne au désert!

« Heureux ceux qui n'ont point vu la fumée des
5 « fêtes de l'étranger et qui ne se sont assis qu'aux
« festins de leurs pères!

« Merveilleuses histoires racontées autour du foyer,
« tendres épanchements du cœur, longues habitudes
« d'aimer si nécessaires à la vie, vous avez rempli les
10 « journées de ceux qui n'ont point quitté leur pays
« natal! Leurs tombeaux sont dans leur patrie, avec
« le soleil couchant, les pleurs de leurs amis et les
« charmes de la religion.

« Heureux ceux qui n'ont point vu la fumée des
15 « fêtes de l'étranger et qui ne se sont assis qu'aux
« festins de leurs pères! »

« Ainsi chantait Atala. Rien n'interrompait ses
plaintes, hors le bruit insensible de notre canot sur
les ondes. En deux ou trois endroits seulement elles
20 furent recueillies par un faible écho, qui les redit à un
second plus faible, et celui-ci à un troisième plus faible
encore: on eût cru que les âmes de deux amants jadis
infortunés comme nous, attirées par cette mélodie
touchante, se plaisaient à en soupirer les derniers sons
25 dans la montagne.

« Cependant la solitude, la présence continuelle de
l'objet aimé, nos malheurs mêmes, redoublaient à
chaque instant notre amour. Les forces d'Atala commençaient à l'abandonner, et les passions en abattant

son corps, allaient triompher de sa vertu. Elle priait
continuellement sa mère, dont elle avait l'air de vouloir apaiser l'ombre irritée. Quelquefois elle me de-
mandait si je n'entendais pas une voix plaintive, si je
ne voyais pas des flammes sortir de la terre. Pour moi, 5
épuisé de fatigue, mais toujours brûlant de désir, songeant que j'étais peut-être perdu sans retour au milieu
de ces forêts, cent fois je fus prêt à saisir mon épouse
dans mes bras, cent fois je lui proposai de bâtir une hutte
sur ces rivages et de nous y ensevelir ensemble. Mais 10
elle me résista toujours: « Songez, me disait-elle, mon
« jeune ami, qu'un guerrier se doit à sa patrie.
« Qu'est-ce qu'une femme auprès des devoirs que tu
« as à remplir? Prends courage, fils d'Outalissi; ne
« murmure point contre ta destinée. Le cœur de 15
« l'homme est comme l'éponge du fleuve, qui tantôt
« boit une onde pure dans les temps de sérénité, tantôt
« s'enfle d'une eau bourbeuse quand le ciel a troublé
« les eaux. L'éponge a-t-elle le droit de dire: Je
« croyais qu'il n'y aurait jamais d'orages, que le soleil 20
« ne serait jamais brûlant? »

« O René! si tu crains les troubles du cœur, défie-
toi de la solitude: les grandes passions sont solitaires,
et les transporter au désert, c'est les rendre à leur
empire. Accablés de soucis et de craintes, exposés à 25
tomber entre les mains des Indiens ennemis, à être
engloutis dans les eaux, piqués des serpents, dévorés
des bêtes, trouvant difficilement une chétive nourriture, et ne sachant plus de quel côté tourner nos pas,

nos maux semblaient ne pouvoir plus s'accroître, lorsqu'un accident y vint mettre le comble.

« C'était le vingt-septiéme soleil depuis notre départ des cabanes, la *lune de feu* [1] avait commencé son cours, et tout annonçait un orage. Vers l'heure où les matrones indiennes suspendent la crosse du labour aux branches du savinier et où les perruches se retirent dans le creux des cyprès, le ciel commença à se couvrir. Les voix de la solitude s'éteignirent, le désert fit silence et les forêts demeurèrent dans un calme universel. Bientôt les roulements d'un tonnerre lointain, se prolongeant dans ces bois aussi vieux que le monde, en firent sortir des bruits sublimes. Craignant d'être submergés, nous nous hâtames de gagner le bord du fleuve et de nous retirer dans une forêt.

« Ce lieu était un terrain marécageux. Nous avancions avec peine sous une voûte de smilax, parmi des ceps de vigne, des indigos, des faséoles, des lianes rampantes, qui entravaient nos pieds comme des filets. Le sol spongieux tremblait autour de nous et à chaque instant, nous étions près d'être engloutis dans des fondrières. Des insectes sans nombre, d'énormes chauves-souris, nous aveuglaient; les serpents à sonnettes bruissaient de toutes parts, et les loups, les ours, les carcajous, les petits tigres, qui venaient se cacher dans ces retraites, les remplissaient de leurs rugissements.

« Cependant l'obscurité redouble: les nuages abais-

[1] Mois de juillet.

sés entrent sous l'ombrage des bois. La nue se déchire,
et l'éclair trace un rapide losange de feu. Un vent
impétueux, sorti du couchant, roule les nuages sur les
nuages; les forêts plient, le ciel s'ouvre coup sur coup,
et à travers ses crevasses on aperçoit de nouveaux 5
cieux et des campagnes ardentes. Quel affreux, quel
magnifique spectacle! La foudre met le feu dans les
bois; l'incendie s'étend comme une chevelure de
flammes; des colonnes d'étincelles et de fumée assiè-
gent les nues, qui vomissent leurs foudres dans le vaste 10
embrasement. Alors le grand Esprit couvre les montagnes d'épaisses ténèbres; du milieu de ce vaste
chaos s'élève un mugissement confus formé par le
fracas des vents, le gémissement des arbres, le hurle-
ment des bêtes féroces, le bourdonnement de l'incendie 15
et la chute répétée du tonnerre qui siffle en s'éteignant
dans les eaux.

« Le grand Esprit le sait! Dans ce moment je ne
vis qu'Atala, je ne pensai qu'à elle. Sous le tronc
penché d'un bouleau, je parvins à la garantir des tor- 20
rents de la pluie. Assis moi-même sous l'arbre, tenant
ma bien-aimée sur mes genoux, et réchauffant ses
pieds nus entre mes mains, j'étais plus heureux que
la nouvelle épouse qui sent pour la première fois son
fruit tressaillir dans son sein. 25

« Nous prêtions l'oreille au bruit de la tempête;
« tout à coup je sentis une larme d'Atala tomber sur
« mon sein: « Orage du cœur, m'écriai-je, est-ce une
« goutte de votre pluie? » Puis, embrassant étroite-

ment celle que j'aimais: « Atala, lui dis-je, vous me
« cachez quelque chose. Ouvre-moi ton cœur, ô ma
« beauté ! Cela fait tant de bien quand un ami regarde
« dans notre âme ! Raconte-moi cet autre secret de la
5 « douleur, que tu t'obstines à taire. Ah ! je le vois, tu
« pleures ta patrie. » Elle repartit aussitôt: « Enfant
« des hommes, comment pleurerais-je ma patrie, puis-
« que mon père n'était pas du pays des palmiers —
« Quoi ! répliquai-je avec un profond étonnement,
10 « votre père n'était point du pays des palmiers ! Quel
« est donc celui qui vous a mise sur cette terre ! Ré-
« pondez. » Atala dit ces paroles:

« Avant que ma mère eût apporté en mariage au
« guerrier Simaghan trente cavales, vingt buffles, cent
15 « mesures d'huile de glands, cinquante peaux de castors
« et beaucoup d'autres richesses, elle avait connu un
« homme de la chair blanche. Or, la mère de ma
« mère lui jeta de l'eau au visage, et la contraignit
« d'épouser le magnanime Simaghan, tout semblable
20 « à un roi et honoré des peuples comme un Génie.
« Mais ma mère dit à son nouvel époux: « Mon ventre
« a conçu, tuez-moi. » Simaghan lui répondit: « Le
« grand Esprit me garde d'une si mauvaise action !
« Je ne vous mutilerai point, je ne vous couperai point
25 « le nez ni les oreilles, parce que vous avez été sincère
« et que vous n'avez point trompé ma couche. Le
« fruit de vos entrailles sera mon fruit, et je ne vous
« visiterai qu'après le départ de l'oiseau de rizière,
« lorsque la treizième lune aura brillé. » En ce temps-

« là je brisai le sein de ma mère et je commençai à
« croître, fière comme une Espagnole et comme une
« sauvage. Ma mère me fit chrétienne, afin que son
« Dieu et le Dieu de mon père fût aussi mon Dieu.
« Ensuite le chagrin d'amour vint la chercher, et elle 5
« descendit dans la petite cave garnie de peaux d'où
« l'on ne sort jamais. »

« Telle fut l'histoire d'Atala. « Et quel était donc
« ton père, pauvre orpheline ? lui dis-je ; comment les
« hommes l'appelaient-ils sur la terre et quel nom 10
« portait-il parmi les Génies ? — Je n'ai jamais lavé
« les pieds de mon père, dit Atala ; je sais seulement
« qu'il vivait avec sa sœur à Saint-Augustin et qu'il a
« toujours été fidèle à ma mère : *Philippe* était son
« nom parmi les anges, et les hommes le nommaient 15
« *Lopez.* »

« A ces mots je poussai un cri qui retentit dans
toute la solitude ; le bruit de mes transports se mêla
au bruit de l'orage. Serrant Atala sur mon cœur, je
m'écriai avec des sanglots : « O ma sœur ! ô fille de 20
Lopez ! fille de mon bienfaiteur ! » Atala, effrayée, me
demanda d'où venait mon trouble ; mais quand elle
sut que Lopez était cet hôte généreux qui m'avait
adopté à Saint-Augustin, et que j'avais quitté pour
être libre, elle fut saisie elle-même de confusion et de 25
joie.

« C'en était trop pour nos cœurs que cette amitié
fraternelle qui venait nous visiter et joindre son amour
à notre amour. Désormais les combats d'Atala allaient

devenir inutiles! En vain je la sentis porter une main
à son sein et faire un mouvement extraordinaire: déjà
je l'avais saisie, déjà je m'étais enivré de son souffle,
déjà j'avais bu toute la magie de l'amour sur ses
5 lèvres. Les yeux levés vers le ciel, à la lueur des
éclairs, je tenais mon épouse dans mes bras en présence
de l'Eternel. Pompe nuptiale, digne de nos malheurs
et de la grandeur de nos amours; superbes forêts qui
agitiez vos lianes et vos dômes comme les rideaux et
10 le ciel de notre couche, pins embrasés qui formiez les
flambeaux de notre hymen, fleuve débordé, montagnes
mugissantes, affreuse et sublime nature, n'étiez-vous
donc qu'un appareil préparé pour nous tromper, et ne
pûtes-vous cacher un moment dans vos mystérieuses
15 horreurs la félicité d'un homme?

« Atala n'offrait plus qu'une faible résistance, je
touchais au moment du bonheur quand tout à coup
un impétueux éclair, suivi d'un éclat de la foudre,
sillonne l'épaisseur des ombres, remplit la forêt de
20 soufre et de lumière et brise un arbre à nos pieds.
Nous fuyons. O surprise!... dans le silence qui suc-
cède nous entendons le son d'une cloche! Tous deux
interdits, nous prêtons l'oreille à ce bruit si étrange
dans un désert. A l'instant un chien aboie dans le
25 lointain; il approche, il redouble ses cris, il arrive, il
hurle de joie à nos pieds; un vieux solitaire portant
une petite lanterne le suit à travers les ténèbres de la
forêt. « La Providence soit bénie! s'écria-t-il aussitôt
« qu'il nous aperçut. Il y a bien longtemps que je

« vous cherche ! Notre chien vous a sentis dès le com-
« mencement de l'orage, et il m'a conduit ici. Bon
« Dieu ! comme ils sont jeunes ! pauvres enfants !
« comme ils ont dû souffrir ! Allons ! j'ai apporté une
« peau d'ours, ce sera pour cette jeune femme; voici 5
« un peu de vin dans notre calebasse. Que Dieu soit
« loué dans toutes ses œuvres ! sa miséricorde est bien
« grande, et sa bonté est infinie ! »

« Atala était aux pieds du religieux: « Chef de la
« prière, lui disait-elle, je suis chrétienne. C'est le 10
« ciel qui t'envoie pour me sauver. — Ma fille, dit
« l'ermite en la relevant, nous sonnons ordinairement
« la cloche de la mission pendant la nuit et pendant
« les tempêtes pour appeler les étrangers, et, à l'ex-
« emple de nos frères des Alpes et du Liban, nous 15
« avons appris à notre chien à découvrir les voyageurs
« égarés. » Pour moi, je comprenais à peine l'ermite;
cette charité me semblait si fort au-dessus de l'homme
que je croyais faire un songe. A la lueur de la petite
lanterne que tenait le religieux, j'entrevoyais sa barbe 20
et ses cheveux tout trempés d'eau; ses pieds, ses
mains et son visage étaient ensanglantés par les
ronces. « Vieillard, m'écriai-je enfin, quel cœur
« as-tu donc, toi qui n'as pas craint d'être frappé par
« la foudre ? — Craindre ! repartit le père avec une 25
« sorte de chaleur: craindre lorsqu'il y a des hommes
« en péril et que je leur puis être utile ! je serais donc
« un bien indigne serviteur de Jésus-Christ ! — Mais
« sais-tu, lui dis-je, que je ne suis pas chrétien ? —

« Jeune homme, répondit l'ermite, vous ai-je demandé
« votre religion ? Jésus-Christ n'a pas dit : « Mon sang
« lavera celui-ci, et non celui-là. » Il est mort pour le
« Juif et le gentil, et il n'a vu dans tous les hommes
5 « que des frères et des infortunés. Ce que je fais ici
« pour vous est fort peu de chose, et vous trouveriez
« ailleurs bien d'autres secours; mais la gloire n'en
« doit point retomber sur les prêtres. Que sommes-
« nous, faibles solitaires, sinon de grossiers instruments
10 « d'une œuvre céleste ? Eh ! quel serait le soldat assez
« lâche pour reculer lorsque son chef, la croix à la
« main et le front couronné d'épines, marche devant
« lui au secours des hommes ? »

« Ces paroles saisirent mon cœur, des larmes d'ad-
15 miration et de tendresse tombèrent de mes yeux.
« Mes chers enfants, dit le missionaire, je gouverne
« dans ces forêts un petit troupeau de vos frères sau-
« vages. Ma grotte est assez près d'ici dans la mon-
« tagne: venez vous réchauffer chez moi; vous n'y
20 « trouverez pas les commodités de la vie, mais vous y
« aurez un abri, et il faut encore en remercier la bonté
« divine, car il y a bien des hommes qui en manquent. »

LES LABOUREURS

« Il y a des justes dont la conscience est si tranquille,
25 qu'on ne peut approcher d'eux sans participer à la
paix qui s'exhale pour ainsi dire de leur cœur et de
leurs discours. A mesure que le solitaire parlait, je
sentais les passions s'apaiser dans mon sein, et l'orage

même du ciel semblait s'éloigner à sa voix. Les
nuages furent bientôt assez dispersés pour nous permettre de quitter notre retraite. Nous sortîmes de la
forêt et nous commençâmes à gravir le revers d'une
haute montagne. Le chien marchait devant nous en 5
portant au bout d'un bâton la lanterne éteinte. Je
tenais la main d'Atala, et nous suivions le missionnaire. Il se détournait souvent pour nous regarder,
contemplant avec pitié nos malheurs et notre jeunesse.
Un livre était suspendu à son cou; il s'appuyait sur 10
un bâton blanc. Sa taille était élevée, sa figure pâle
et maigre, sa physionomie simple et sincère. Il n'avait
pas les traits morts et effacés de l'homme né sans
passions, on voyait que ses jours avaient été mauvais,
et les rides de son front montraient les belles cicatrices 15
des passions guéries par la vertu et par l'amour de
Dieu et des hommes. Quand il nous parlait debout
et immobile, sa longue barbe, ses yeux modestement
baissés, le son affectueux de sa voix, tout en lui avait
quelque chose de calme et de sublime. Quiconque a 20
vu, comme moi, le père Aubry cheminant seul avec
son bâton et son bréviaire dans le désert, a une
véritable idée du voyageur chrétien sur la terre.

« Après une demi-heure d'une marche dangereuse
par les sentiers de la montagne, nous arrivâmes à la 25
grotte du missionnaire. Nous y entrâmes à travers
les lierres et les giraumonts humides, que la pluie avait
abattus des rochers. Il n'y avait dans ce lieu qu'une
natte de feuilles de papaya, une calebasse pour puiser

de l'eau, quelques vases, une bêche, un serpent familier
et, sur une pierre qui servait de table, un crucifix et le
livre des chrétiens.

« L'homme des anciens jours se hâta d'allumer du
5 feu avec des lianes sèches; il brisa du maïs entre deux
pierres, et, en ayant fait un gâteau, il le mit cuire sous
la cendre. Quand ce gâteau eut pris au feu une belle
couleur dorée, il nous le servit tout brûlant, avec de
la crème de noix dans un vase d'érable. Le soir
10 ayant ramené la sérénité, le serviteur du grand Esprit
nous proposa d'aller nous asseoir à l'entrée de la
grotte. Nous le suivîmes dans ce lieu, qui comman-
dait une vue immense. Les restes de l'orage étaient
jetés en désordre vers l'orient; les feux de l'incendie
15 allumé dans les forêts par la foudre brillaient encore
dans le lointain; au pied de la montagne, un bois de
pins tout entier était renversé dans la vase, et le
fleuve roulait pêle-mêle les argiles détrempées, les
troncs des arbres, les corps des animaux et les poissons
20 morts, dont on voyait le ventre argenté flotter à la
surface des eaux.

« Ce fut au milieu de cette scène qu'Atala raconta
notre histoire au grand Génie de la montagne. Son
cœur parut touché, et des larmes tombèrent sur sa
25 barbe. « Mon enfant, dit-il à Atala, il faut offrir vos
« souffrances à Dieu, pour la gloire de qui vous avez
« déjà fait tant de choses, il vous rendra le repos.
« Voyez fumer ces forêts, sécher ces torrents, se dissi-
« per ces nuages: croyez-vous que celui qui peut

« calmer une pareille tempête ne pourra pas apaiser
« les troubles du cœur de l'homme ? Si vous n'avez
« pas de meilleure retraite, ma chère fille, je vous offre
« une place au milieu du troupeau que j'ai eu le bon-
« heur d'appeler à Jésus-Christ. J'instruirai Chactas,   5
« et je vous le donnerai pour époux quand il sera digne
« de l'être. »

   « A ces mots je tombai aux genoux du solitaire en
versant des pleurs de joie; mais Atala devint pâle
comme la mort. Le vieillard me releva avec bénignité, 10
et je m'aperçus alors qu'il avait les deux mains
mutilées. Atala comprit sur-le-champ ses malheurs.
« Les barbares ! » s'écria-t-elle.

   « Ma fille, reprit le père avec un doux sourire,
« qu'est-ce que cela auprès de ce qu'a enduré mon 15
« divin Maître ? Si les Indiens idolâtres m'ont affligé,
« ce sont de pauvres aveugles que Dieu éclairera un
« jour. Je les chéris même davantage en proportion
« des maux qu'ils m'ont faits. Je n'ai pu rester dans
« ma patrie, où j'étais retourné, et où une illustre 20
« reine m'a fait l'honneur de vouloir contempler ces
« faibles marques de mon apostolat. Et quelle récom-
« pense plus glorieuse pouvais-je recevoir de mes tra-
« vaux que d'avoir obtenu du chef de notre religion la
« permission de célébrer le divin sacrifice avec ces 25
« mains mutilées ? Il ne me restait plus, après un tel
« honneur, qu'à tâcher de m'en rendre digne: je suis
« revenu au Nouveau-Monde consumer le reste de ma
« vie au service de mon Dieu. Il y a bientôt trente

« ans que j'habite cette solitude, et il y en aura demain
« vingt-deux que j'ai pris possession de ce rocher.
« Quand j'arrivai dans ces lieux, je n'y trouvai que
« des familles vagabondes, dont les mœurs étaient fé-
5 « roces et la vie fort misérable.　Je leur ai fait entendre
« la parole de paix, et leurs mœurs se sont graduelle-
« ment adoucies.　Ils vivent maintenant rassemblés
« au bas de cette montagne.　J'ai tâché, en leur ap-
« prenant les voies du salut, de leur apprendre les
10 « premiers arts de la vie, mais sans les porter trop
« loin, et en retenant ces honnêtes gens dans cette
« simplicité qui fait le bonheur.　Pour moi, craignant
« de les gêner par ma présence, je me suis retiré sous
« cette grotte, où ils viennent me consulter.　C'est ici
15 « que, loin des hommes, j'admire Dieu dans la gran-
« deur de ces solitudes et que je me prépare à la mort,
« que m'annoncent mes vieux jours. »

« En achevant ces mots, le solitaire se mit à genoux,
et nous imitâmes son exemple.　Il commença à haute
20 voix une prière, à laquelle Atala répondait.　De muets
éclairs couvraient encore les cieux dans l'orient, et sur
les nuages du couchant trois soleils brillaient ensemble.
Quelques renards dispersés par l'orage allongeaient
leurs museaux noirs au bord des précipices, et l'on
25 entendait le frémissement des plantes qui, séchant à
la brise du soir, relevaient de toutes parts leurs tiges
abattues.

« Nous rentrâmes dans la grotte, où l'ermite étendit
un lit de mousse de cyprès pour Atala.　Une profonde

langueur se peignait dans les yeux et dans les mouvements de cette vierge; elle regardait le père Aubry,
comme si elle eût voulu lui communiquer un secret,
mais quelque chose semblait la retenir, soit ma présence, soit une certaine honte, soit l'inutilité de l'aveu. 5
Je l'entendis se lever au milieu de la nuit; elle cherchait le solitaire, mais comme il lui avait donné sa
couche, il était allé contempler la beauté du ciel et
prier Dieu sur le sommet de la montagne. Il me dit
le lendemain que c'était assez sa coutume, même pen- 10
dant l'hiver, aimant à voir les forêts balancer leurs
cimes dépouillées, les nuages voler dans les cieux, et à
entendre les vents et les torrents gronder dans la
solitude. Ma sœur fut donc obligée de retourner à
sa couche, où elle s'assoupit. Hélas! comblé d'espé- 15
rance, je ne vis dans la faiblesse d'Atala que des marques passagères de lassitude!

« Le lendemain, je m'éveillai aux chants des cardinaux et des oiseaux moqueurs nichés dans les acacias
et les lauriers qui environnaient la grotte. J'allai 20
cueillir une rose de magnolia, et je la déposai, hu-
mectée des larmes du matin, sur la tête d'Atala endormie. J'espérais, selon la religion de mon pays,
que l'âme de quelque enfant mort à la mamelle serait
descendue sur cette fleur dans une goutte de rosée, et 25
qu'un heureux songe la porterait au sein de ma future
épouse. Je cherchai ensuite mon hôte; je le trouvai
la robe relevée dans ses deux poches, un chapelet à la
main et m'attendant assis sur le tronc d'un pin tombé

de vieillesse. Il me proposa d'aller avec lui à la
Mission, tandis qu'Atala reposait encore; j'acceptai
son offre, et nous nous mîmes en route à l'instant.

« En descendant la montagne, j'aperçus des chênes
5 où les Génies semblaient avoir dessiné des caractères
étrangers. L'ermite me dit qu'il les avait tracés lui-
même, que c'étaient des vers d'un ancien poète appelé
Homère et quelques sentences d'un autre poète plus
ancien encore, nommé *Salomon*. Il y avait je ne sais
10 quelle mystérieuse harmonie entre cette sagesse des
temps, ces vers rongés de mousse, ce vieux solitaire
qui les avait gravés et ces vieux chênes qui lui servaient de livres.

« Son nom, son âge, la date de sa mission étaient
15 aussi marqués sur un roseau de savane, au pied de ces
arbres. Je m'étonnai de la fragilité du dernier monument: « Il durera encore plus que moi, me répondit
« le père, et aura toujours plus de valeur que le peu
« de bien que j'ai fait. »

20 « De là nous arrivâmes à l'entrée d'une vallée, où
je vis un ouvrage merveilleux: c'était un pont naturel,
semblable à celui de la Virginie, dont tu as peut-être
entendu parler. Les hommes, mon fils, surtout ceux
de ton pays, imitent souvent la nature, et leurs copies
25 sont toujours petites; il n'en est pas ainsi de la nature
quand elle a l'air d'imiter les travaux des hommes, en
leur offrant en effet des modèles. C'est alors qu'elle
jette des ponts du sommet d'une montagne au sommet
d'une autre montagne, suspend des chemins dans les

nues, répand des fleuves pour canaux, sculpte des
monts pour colonnes et pour bassins creuse des mers.

« Nous passâmes sous l'arche unique de ce pont, et
nous nous trouvâmes devant une autre merveille:
c'était le cimetière des Indiens de la Mission, ou *les* 5
Bocages de la mort. Le père Aubry avait permis à ses
néophytes d'ensevelir leurs morts à leur manière et
de conserver au lieu de leurs sépultures son nom
sauvage; il avait seulement sanctifié ce lieu par une
croix.[1] Le sol en était divisé, comme le champ com- 10
mun des moissons, en autant de lots qu'il y avait de
familles. Chaque lot faisait à lui seul un bois qui
variait selon le goût de ceux qui l'avaient planté. Un
ruisseau serpentait sans bruit au milieu de ces bocages,
on l'appelait *le Ruisseau de la paix.* Ce riant asile des 15
âmes était fermé à l'orient par le pont sous lequel
nous avions passé; deux collines le bornaient au septentrion et au midi; il ne s'ouvrait qu'à l'occident,
où s'élevait un grand bois de sapins. Les troncs de
ces arbres, rouge marbré de vert, montant sans 20
branches jusqu'à leurs cimes, ressemblaient à de
hautes colonnes et formaient le péristyle de ce temple
de la mort; il y régnait un bruit religieux, semblable au sourd mugissement de l'orgue sous les voûtes
d'une église; mais lorsqu'on pénétrait au fond du 25
sanctuaire, on n'entendait plus que les hymnes des

[1] Le père Aubry avait fait comme les Jésuites à la Chine, qui
permettaient aux Chinois d'enterrer leurs parents dans leurs jardins,
selon leur ancienne coutume.

oiseaux qui célébraient à la mémoire des morts une
fête éternelle.

« En sortant de ce bois, nous découvrîmes le village
de la Mission situé au bord d'un lac, au milieu d'une
5 savane semée de fleurs.　On y arrivait par une avenue de magnolias et de chênes verts, qui bordaient
une de ces anciennes routes que l'on trouve vers les
montagnes qui divisent le Kentucky des Florides.
Aussitôt que les Indiens aperçurent leur pasteur dans
10 la plaine, ils abandonnèrent leurs travaux, et accouru-
rent au-devant de lui.　Les uns baisaient sa robe, les
autres aidaient ses pas; les mères élevaient dans leurs
bras leurs petits enfants pour leur faire voir l'homme
de Jésus-Christ, qui répandait des larmes.　Il s'infor-
15 mait en marchant de ce qui se passait au village; il
donnait un conseil à celui-ci, réprimandait doucement
celui-là; il parlait des moissons à recueillir, des enfants à instruire, des peines à consoler, et il mêlait
Dieu à tous ses discours.

20 « Ainsi escortés, nous arrivâmes au pied d'une
grande croix qui se trouvait sur le chemin.　C'était là
que le serviteur de Dieu avait accoutumé de célébrer
les mystères de sa religion: « Mes chers néophytes,
« dit-il en se tournant vers la foule, il vous est arrivé
25 « un frère et une sœur, et, pour surcroît de bonheur,
« je vois que la divine Providence a épargné hier
« vos moissons; voilà deux grandes raisons de la
« remercier.　Offrons donc le saint sacrifice, et que
« chacun y apporte un recueillement profond, une

« foi vive, une reconnaissance infinie et un cœur
« humilié. »

« Aussitôt le prêtre divin revêt une tunique blanche
d'écorce de mûrier, les vases sacrés sont tirés d'un
tabernacle au pied de la croix, l'autel se prépare sur 5
un quartier de roche, l'eau se puise dans le torrent
voisin, et une grappe de raisin sauvage fournit le vin
du sacrifice. Nous nous mettons tous à genoux dans
les hautes herbes; le mystère commence.

« L'aurore, paraissant derrière les montagnes, en- 10
flammait l'orient. Tout était d'or ou de rose dans la
solitude. L'astre annoncé par tant de splendeur sortit
enfin d'un abîme de lumière, et son premier rayon
rencontra l'hostie consacrée, que le prêtre en ce moment même élevait dans les airs. O charme de la 15
religion! O magnificence du culte chrétien! Pour
sacrificateur un vieil ermite, pour autel un rocher,
pour église le désert, pour assistance d'innocents
sauvages! Non, je ne doute point qu'au moment où
nous nous prosternâmes le grand mystère ne s'accom- 20
plît et que Dieu ne descendît sur la terre, car je le
sentis descendre dans mon cœur.

« Après le sacrifice, où il ne manqua pour moi que
la fille de Lopez, nous nous rendîmes au village. Là
régnait le mélange le plus touchant de la vie sociale 25
et de la vie de la nature: au coin d'une cyprière de
l'antique désert on découvrait une culture naissante;
les épis roulaient à flots d'or sur le tronc du chêne
abattu, et la gerbe d'un été remplaçait l'arbre de

trois siècles. Partout on voyait les forêts livrées aux
flammes pousser de grosses fumées dans les airs, et
la charrue se promener lentement entre les débris de
leurs racines. Des arpenteurs avec de longues chaînes
5 allaient mesurant le terrain; des arbitres établissaient
les premières propriétés; l'oiseau cédait son nid; le
repaire de la bête féroce se changeait en une cabane;
on entendait gronder des forges, et les coups de la
cognée faisaient pour la dernière fois mugir des échos,
10 expirant eux-mêmes avec les arbres qui leur servaient
d'asile.

« J'errais avec ravissement au milieu de ces tableaux,
rendus plus doux par l'image d'Atala et par les rêves
de félicité dont je berçais mon cœur. J'admirais le
15 triomphe du christianisme sur la vie sauvage; je
voyais l'Indien se civilisant à la voix de la religion;
j'assistais aux noces primitives de l'homme et de la
terre: l'homme, par ce grand contrat, abandonnant
à la terre l'héritage de ses sueurs, et la terre s'enga-
20 geant en retour à porter fidèlement les moissons, les
fils et les cendres de l'homme.

« Cependant on présenta un enfant au missionnaire
qui le baptisa parmi les jasmins en fleurs, au bord
d'une source, tandis qu'un cercueil, au milieu des jeux
25 et des travaux, se rendait aux Bocages de la mort.
Deux époux reçurent la bénédiction nuptiale sous un
chêne, et nous allâmes ensuite les établir dans un
coin du désert. Le pasteur marchait devant nous,
bénissant çà et là, et le rocher, et l'arbre, et la fon-

taine, comme autrefois, selon le livre des chrêtiens,
Dieu bénit la terre inculte en la donnant en héritage
à Adam. Cette procession, qui pêle-mêle avec ses
troupeaux suivait de rocher en rocher son chef vénérable, représentait à mon cœur attendri ces migrations 5
des premières familles, alors que Sem, avec ses enfants,
s'avançait à travers le monde inconnu, en suivant le
soleil qui marchait devant lui.

« Je voulus savoir du saint ermite comment il
gouvernait ses enfants; il me répondit avec une 10
grande complaisance: « Je ne leur ai donné aucune
« loi; je leur ai seulement enseigné à s'aimer, à prier
« Dieu et à espérer une meilleure vie: toutes les lois
« du monde sont là-dedans. Vous voyez au milieu du
« village une cabane plus grande que les autres: elle 15
« sert de chapelle dans la saison des pluies. On s'y
« assemble soir et matin pour louer le Seigneur, et
« quand je suis absent, c'est un vieillard qui fait la
« prière, car la vieillesse est, comme la maternité, une
« espèce de sacerdoce. Ensuite on va travailler dans 20
« les champs, et si les propriétés sont divisées, afin
« que chacun puisse apprendre l'économie sociale, les
« moissons sont déposées dans des greniers communs,
« pour maintenir la charité fraternelle. Quatre vieil-
« lards distribuent avec égalité le produit du labeur. 25
« Ajoutez à cela des cérémonies religieuses, beaucoup
« de cantiques; la croix où j'ai célébré les mystères,
« l'ormeau sous lequel je prêche dans les bons jours,
« nos tombeaux tout près de nos champs de blé, nos

« fleuves, où je plonge les petits enfants et les saints
« Jean de cette nouvelle Béthanie, vous aurez une
« idée complète de ce royaume de Jésus-Christ. »

« Les paroles du solitaire me ravirent, et je sentis
5 la supériorité de cette vie stable et occupée sur la vie
errante et oisive du sauvage.

« Ah ! René, je ne murmure point contre la Providence, mais j'avoue que je ne me rappelle jamais cette
société évangélique sans éprouver l'amertume des re-
10 grets. Qu'une hutte avec Atala sur ces bords eût
rendu ma vie heureuse ! Là finissaient toutes mes
courses; là, avec une épouse, inconnu des hommes,
cachant mon bonheur au fond des forêts, j'aurais
passé comme ces fleuves qui n'ont pas même un nom
15 dans le désert. Au lieu de cette paix que j'osais alors
me promettre, dans quel trouble n'ai-je point coulé
mes jours ! Jouet continuel de la fortune, brisé sur
tous les rivages, longtemps exilé de mon pays, et n'y
trouvant à mon retour qu'une cabane en ruine et des
20 amis dans la tombe, telle devait être la destinée de
Chactas. »

Le Drame

« Si mon songe de bonheur fut vif, il fut aussi d'une
courte durée, et le réveil m'attendait à la grotte du
solitaire. Je fus surpris, en y arrivant au milieu du
25 jour, de ne pas voir Atala accourir au-devant de nos
pas. Je ne sais quelle soudaine horreur me saisit. En
approchant de la grotte, je n'osais appeler la fille de

Lopez: mon imagination était également épouvantée,
ou du bruit, ou du silence qui succéderait à mes cris.
Encore plus effrayé de la nuit qui régnait à l'entrée
du rocher, je dis au missionnaire: « O vous que le ciel
« accompagne et fortifie, pénétrez dans ces ombres. »   5

« Qu'il est faible celui que les passions dominent !
qu'il est fort celui qui se repose en Dieu ! Il y avait plus
de courage dans ce cœur religieux, flétri par soixante-
seize années, que dans toute l'ardeur de ma jeunesse.
L'homme de paix entra dans la grotte, et je restai au   10
dehors, plein de terreur. Bientôt un faible murmure
semblable à des plaintes sortit du fond du rocher et vint
frapper mon oreille. Poussant un cri et retrouvant
mes forces, je m'élançai dans la nuit de la caverne...
Esprits de mes pères, vous savez seuls le spectacle qui   15
frappa mes yeux !

« Le solitaire avait allumé un flambeau de pin; il le
tenait d'une main tremblante au-dessus de la couche
d'Atala. Cette belle et jeune femme, à moitié soulevée
sur le coude, se montrait pâle et échevelée. Les gouttes   20
d'une sueur pénible brillaient sur son front; ses regards
à demi éteints cherchaient encore à m'exprimer son
amour, et sa bouche essayait de sourire. Frappé
comme d'un coup de foudre, les yeux fixés, les bras
étendus, les lèvres entr'ouvertes, je demeurai im-   25
mobile. Un profond silence règne un moment parmi
les trois personnages de cette scène de douleur. Le
solitaire le rompt le premier: « Ceci, dit-il, ne sera
« qu'une fièvre occasionnée par la fatigue, et si nous

« nous résignons à la volonté de Dieu, il aura pitié de
« nous. »

« A ces paroles, le sang suspendu reprit son cours
dans mon cœur, et, avec la mobilité du sauvage, je
5 passai subitement de l'excès de la crainte à l'excès de la
confiance. Mais Atala ne m'y laissa pas longtemps.
Balançant tristement la tête, elle nous fit signe de
nous approcher de sa couche.

« Mon père, dit-elle d'une voix affaiblie en s'adres-
10 « sant au religieux, je touche au moment de la mort. O
« Chactas ! écoute sans désespoir le funeste secret que
« je t'ai caché, pour ne pas te rendre trop misérable
« et pour obéir à ma mère. Tâche de ne pas m'inter-
« rompre par des marques d'une douleur qui précipi-
15 « terait le peu d'instants que j'ai à vivre. J'ai beau-
« coup de choses à raconter, et aux battements de ce
« cœur, qui se ralentissent . . . à je ne sais quel fardeau
« glacé que mon sein soulève à peine . . . je sens que je
« ne me saurais trop hâter.

20 « Après quelques moments de silence, Atala pour-
« suivit ainsi:

« Ma triste destinée a commencé presque avant que
« j'eusse vu la lumière. Ma mère m'avait conçue dans
« le malheur; je fatiguais son sein, elle me mit au monde
25 « avec de grands déchirements d'entrailles; on désespéra
« de ma vie. Pour sauver mes jours, ma mère fit un
« vœu, elle promit à la Reine des Anges que je lui
« consacrerais ma virginité, si j'échappais à la mort . . .
« Vœu fatal, qui me précipite au tombeau !

« J'entrais dans ma seizième année lorsque je perdis
« ma mère. Quelques heures avant de mourir elle
« m'appela au bord de sa couche. « Ma fille, me dit-
« elle en présence d'un missionnaire qui consolait ses
« derniers instants; ma fille, tu sais le vœu que j'ai fait 5
« pour toi. Voudrais-tu démentir ta mère? O mon
« Atala! je te laisse dans un monde qui n'est pas digne
« de posséder une chrétienne, au milieu d'idolâtres qui
« persécutent le Dieu de ton père et le mien, le Dieu
« qui, après t'avoir donné le jour, te l'a conservé par 10
« un miracle. Eh! ma chère enfant, en acceptant le
« voile des vierges, tu ne fais que renoncer aux soucis de
« la cabane et aux funestes passions qui ont troublé
« le sein de ta mère! Viens donc, ma bien-aimée, viens,
« jure sur cette image de la Mère du Sauveur, entre les 15
« mains de ce saint prêtre et de ta mère expirante, que
« tu ne me trahiras point à la face du ciel. Songe
« que je me suis engagée pour toi, afin de te sauver la
« vie, et que si tu ne tiens pas ma promesse, tu plonge-
« ras l'âme de ta mère dans des tourments éternels. » 20

« O ma mère! pourquoi parlâtes-vous ainsi! O
« religion qui fais à la fois mes maux et ma félicité, qui
« me perds et qui me consoles! Et toi, cher et triste
« objet d'une passion qui me consume jusque dans
« les bras de la mort, tu vois maintenant, ô Chactas, 25
« ce qui a fait la rigueur de notre destinée!... Fon-
« dant en pleurs et me précipitant dans le sein mater-
« nel, je promis tout ce qu'on me voulut faire pro-
« mettre. Le missionnaire prononça sur moi les paroles

« redoutables, et me donna le scapulaire qui me lie pour
« jamais. Ma mère me menaça de sa malédiction si
« jamais je rompais mes vœux, et après m'avoir
« recommandé un secret inviolable envers les païens,
5 « persécuteurs de ma religion, elle expira en me tenant
« embrassée.

   « Je ne connus pas d'abord le danger de mes serments.
« Pleine d'ardeur et chrétienne véritable, fière du sang
« espagnol qui coule dans mes veines, je n'aperçus
10 « autour de moi que des hommes indignes de recevoir
« ma main ; je m'applaudis de n'avoir d'autre époux que
« le Dieu de ma mère. Je te vis, jeune et beau prison-
« nier, je m'attendris sur ton sort, je t'osai parler au
« bûcher de la forêt : alors je sentis tout le poids de mes
15 « vœux. »

   « Comme Atala achevait de prononcer ces paroles,
serrant les poings et regardant le missionnaire d'un air
menaçant, je m'écriai : « La voilà donc cette religion
« que vous m'avez tant vantée ! Périsse le serment qui
20 « m'enlève Atala ! Périsse le Dieu qui contrarie la
« nature ! Homme prêtre, qu'es-tu venu faire dans ces
« forêts ? »

   « — Te sauver, dit le vieillard d'une voix terrible,
« dompter tes passions et t'empêcher, blasphémateur,
25 « d'attirer sur toi la colère céleste ! Il te sied bien,
« jeune homme à peine entré dans la vie, de te plaindre
« de tes douleurs ! Où sont les marques de tes souf-
« frances ? Où sont les injustices que tu as supportées ?
« Où sont tes vertus, qui seules pourraient te donner

« quelques droits à la plainte? Quel service as-tu
« rendu? Quel bien as-tu fait? Eh, malheureux!
« tu ne m'offres que des passions, et tu oses accuser le
« ciel! Quand tu auras, comme le père Aubry, passé
« trente années exilé sur les montagnes, tu seras moins 5
« prompt à juger des desseins de la Providence; tu
« comprendras alors que tu ne sais rien, que tu n'es rien,
« et qu'il n'y a point de châtiments si rigoureux, point
« de maux si terribles, que la chair corrompue ne
« mérite de souffrir. » 10

« Les éclairs qui sortaient des yeux du vieillard, sa
barbe, qui frappait sa poitrine, ses paroles foudroy-
antes, le rendaient semblable à un dieu. Accablé de sa
majesté, je tombai à ses genoux, et lui demandai pardon de mes emportements. « Mon fils, me répondit-il 15
« avec un accent si doux que le remords entra dans
« mon âme, mon fils, ce n'est pas pour moi-même que je
« vous ai réprimandé. Hélas! vous avez raison, mon
« cher enfant: je suis venu faire bien peu de chose dans
« ces forêts, et Dieu n'a pas de serviteur plus indigne 20
« que moi. Mais, mon fils, le ciel, le ciel, voilà ce qu'il
« ne faut jamais accuser! Pardonnez-moi si je vous ai
« offensé, mais écoutons votre sœur. Il y a peut-être
« du remède, ne nous lassons point d'espérer. Chactas,
« c'est une religion bien divine que celle-là qui a fait 25
« une vertu de l'espérance! »

« — Mon jeune ami, reprit Atala, tu as été témoin de
« mes combats, et cependant tu n'en as vu que la
« moindre partie; je te cachais le reste. Non, l'esclave

« noir qui arrose de ses sueurs les sables ardents de la
« Floride est moins misérable que n'a été Atala. Te
« sollicitant à la fuite, et pourtant certaine de mourir si
« tu t'éloignais de moi; craignant de fuir avec toi dans
5 « les déserts, et cependant haletant après l'ombrage
« des bois . . . Ah! s'il n'avait fallu que quitter parents,
« amis, patrie; si même (chose affreuse!) il n'y eût eu
« que la perte de mon âme!. . . Mais ton ombre, ô ma
« mère! ton ombre était toujours là, me reprochant ses
10 « tourments! J'entendais tes plaintes, je voyais les
« flammes de l'enfer te consumer. Mes nuits étaient
« arides et pleines de fantômes, mes jours étaient
« désolés; la rosée du soir séchait en tombant sur ma
« peau brûlante; j'entr'ouvrais mes lèvres aux brises,
15 « et les brises, loin de m'apporter la fraîcheur, s'em-
« brasaient du feu de mon souffle. Quel tourment de te
« voir sans cesse auprès de moi, loin de tous les hom-
« mes, dans de profondes solitudes, et de sentir entre
« toi et moi une barrière invincible! Passer ma vie
20 « à tes pieds, te servir comme ton esclave, apprêter ton
« repas et ta couche dans quelque coin ignoré de
« l'univers, eût été pour moi le bonheur suprême; ce
« bonheur, j'y touchais et je ne pouvais en jouir. Quel
« dessein n'ai-je point rêvé! Quel songe n'est point
25 « sorti de ce cœur si triste! Quelquefois, en attachant
« mes yeux sur toi, j'allais jusqu'à former des désirs
« aussi insensés que coupables: tantôt j'aurais voulu
« être avec toi la seule créature vivante sur la terre;
« tantôt, sentant une divinité qui m'arrêtait dans

« mes horribles transports, j'aurais désiré que cette
« divinité se fût anéantie, pourvu que, serrée dans tes
« bras, j'eusse roulé d'abîme en abîme avec les débris de
« Dieu et du monde ! A présent même . . . , le dirai-je !
« à présent que l'éternité va m'engloutir, que je vais 5
« paraître devant le Juge inexorable, au moment où,
« pour obéir à ma mère, je vois avec joie ma virginité
« dévorer ma vie, eh bien ! par une affreuse contradic-
« tion, j'emporte le regret de n'avoir pas été à toi ! . . . »

« — Ma fille, interrompit le missionnaire, votre 10
« douleur vous égare. Cet excès de passion auquel
« vous vous livrez est rarement juste, il n'est pas même
« dans la nature ; et en cela il est moins coupable aux
« yeux de Dieu, parce que c'est plutôt quelque chose
« de faux dans l'esprit que de vicieux dans le cœur. Il 15
« faut donc éloigner de vous ces emportements, qui ne
« sont pas dignes de votre innocence. Mais aussi, ma
« chère enfant, votre imagination impétueuse vous a
« trop alarmée sur vos vœux. La religion n'exige point
« de sacrifice plus qu'humain. Ses sentiments vrais, 20
« ses vertus tempérées, sont bien au-dessus des senti-
« ments exaltés et des vertus forcées d'un prétendu
« héroïsme. Si vous aviez succombé, eh bien ! pauvre
« brebis égarée, le bon Pasteur vous aurait cherchée
« pour vous ramener au troupeau. Les trésors du re- 25
« pentir vous étaient ouverts : il faut des torrents de
« sang pour effacer nos fautes aux yeux des hommes,
« une seule larme suffit à Dieu. Rassurez-vous donc,
« ma chère fille, votre situation exige du calme ;

« adressons-nous à Dieu, qui guérit toutes les plaies de
« ses serviteurs. Si c'est sa volonté, comme je l'es-
« père, que vous échappiez à cette maladie, j'écrirai à
« l'évêque de Québec: il a les pouvoirs nécessaires pour
5 « vous relever de vos vœux, qui ne sont que des vœux
« simples, et vous achèverez vos jours près de moi avec
« Chactas votre époux. »

    « A ces paroles du vieillard, Atala fut saisie d'une
longue convulsion, dont elle ne sortit que pour donner
10 des marques d'une douleur effrayante. « Quoi! dit-
« elle en joignant les deux mains avec passion, il y
« avait du remède? Je pouvais être relevée de mes
« vœux! » — « Oui, ma fille, répondit le père, et vous
« le pouvez encore. » — « Il est trop tard, il est trop
15 « tard! s'écria-t-elle. Faut-il mourir au moment où
« j'apprends que j'aurais pu être heureuse! Que
« n'ai-je connu plus tôt ce saint vieillard! Aujour-
« d'hui, de quel bonheur je jouirais avec toi, avec Chac-
« tas chrétien ... consolée, rassurée par ce prêtre au-
20 « guste ... dans ce désert ... pour toujours ... oh!
« c'eût été trop de félicité! » — « Calme-toi, lui dis-je
« en saisissant une des mains de l'infortunée; calme-toi,
« ce bonheur, nous allons le goûter. » — « Jamais!
« jamais! » dit Atala. — « Comment? » repartis-je. —
25 « Tu ne sais pas tout, s'écria la vierge, c'est hier ...
« pendant l'orage ... J'allais violer mes vœux: j'allais
« plonger ma mère dans les flammes de l'abîme; déjà sa
« malédiction était sur moi, déjà je mentais au Dieu
« qui m'a sauvé la vie ... Quand tu baisais mes lèvres

« tremblantes, tu ne savais pas que tu n'embrassais
« que la mort ! » —« O ciel ! s'écria le missionnaire,
« chère enfant, qu'avez-vous fait ? » —« Un crime, mon
« père, dit Atala les yeux égarés ; mais je ne perdais que
« moi, et je sauvais ma mère. » —« Achève donc, »   5
« m'écriai-je plein d'épouvante. — « Eh bien ! dit-elle,
« j'avais prévu ma faiblesse ; en quittant les cabanes,
« j'ai emporté avec moi . . . » —« Quoi ? » repris-je avec
« horreur. — « Un poison ? » dit le père. « Il est dans
« mon sein, » s'écria Atala.   10

« Le flambeau échappe de la main du solitaire, je
« tombe mourant près de la fille de Lopez ; le vieillard
« nous saisit l'un et l'autre dans ses bras, et tous trois,
« dans l'ombre, nous mêlons un moment nos sanglots
« sur cette couche funèbre.   15

« Réveillons-nous, réveillons-nous ! dit bientôt le
« courageux ermite en allumant une lampe. Nous per-
« dons des moments précieux : intrépides chrétiens,
« bravons les assauts de l'adversité : la corde au cou,
« la cendre sur la tête, jetons-nous aux pieds du   20
« Très-Haut pour implorer sa clémence, pour nous
« soumettre à ses décrets. Peut-être est-il temps en-
« core. Ma fille, vous eussiez dû m'avertir hier au
« soir. »

— « Hélas ! mon père, dit Atala, je vous ai cherché   25
« la nuit dernière, mais le ciel, en punition de mes
« fautes, vous a éloigné de moi. Tout secours eût
« d'ailleurs été inutile, car les Indiens mêmes, si habiles
« dans ce qui regarde les poisons, ne connaissent point

« de remède à celui que j'ai pris.   O Chactas ! juge de
« mon étonnement quand j'ai vu que le coup n'était
« pas aussi subit que je m'y attendais ! Mon amour a
« redoublé mes forces, mon âme n'a pu si vite se séparar
5 « de toi. »

« Ce ne fut plus ici par des sanglots que je troublai
le récit d'Atala, ce fut par ces emportements qui ne
sont connus que des sauvages. Je me roulai furieux
sur la terre en me tordant les bras et en me dévorant les
10 mains.   Le vieux prêtre, avec une tendresse merveilleuse, courait du frère à la sœur, et nous prodiguait
mille secours.   Dans le calme de son cœur et sous le
fardeau des ans, il savait se faire entendre à notre
jeunesse, et sa religion lui fournissait des accents plus
15 tendres et plus brûlants que nos passions mêmes.   Ce
prêtre, qui depuis quarante années s'immolait chaque
jour au service de Dieu et des hommes dans ces montagnes, ne te rappelle-t-il pas ces holocaustes d'Israël
fumant perpétuellement sur les hauts lieux, devant le
20 Seigneur ?

« Hélas ! ce fut en vain qu'il essaya d'apporter
quelque remède aux maux d'Atala.   La fatigue, le
chagrin, le poison, et une passion plus mortelle que
tous les poisons ensemble, se réunissaient pour ravir
25 cette fleur à la solitude.   Vers le soir, des symptômes
effrayants se manifestèrent; un engourdissement géné-
ral saisit les membres d'Atala, et les extrémités de son
corps commencèrent à refroidir: « Touche mes doigts,
me disait-elle: ne les trouves-tu pas bien glacés ? » Je

ne savais que répondre, et mes cheveux se hérissaient
d'horreur; ensuite elle ajoutait: « Hier encore, mon
« bien-aimé, ton seul toucher me faisait tressaillir, et
« voilà que je ne sens plus ta main, je n'entends presque
« plus ta voix, les objets de la grotte disparaissent tour 5
« à tour.   Ne sont-ce pas les oiseaux qui chantent?
« Le soleil doit être près de se coucher maintenant;
« Chactas, ses rayons seront bien beaux au désert,
« sur ma tombe! »

   « Atala, s'apercevant que ces paroles nous faisaient 10
fondre en pleurs, nous dit: « Pardonnez-moi, mes bons
« amis; je suis bien faible, mais peut-être que je vais
« devenir plus forte.   Cependant mourir si jeune, tout
« à la fois, quand mon cœur était si plein de vie! Chef
« de la prière, aie pitié de moi; soutiens-moi.   Crois-tu 15
« que ma mère soit contente et que Dieu me pardonne
« ce que j'ai fait? »

   « Ma fille, » répondit le bon religieux en versant des
larmes et les essuyant avec ses doigts tremblants et
mutilés; « ma fille, tous vos malheurs viennent de 20
« votre ignorance; c'est votre éducation sauvage et le
« manque d'instruction nécessaire qui vous ont perdue;
« vous ne saviez pas qu'une chrétienne ne peut disposer
« de sa vie.   Consolez-vous donc, ma chère brebis;
« Dieu vous pardonnera à cause de la simplicité de 25
« votre cœur.   Votre mère et l'imprudent missionnaire
« qui la dirigeait ont été plus coupables que vous; ils
« ont passé leurs pouvoirs en vous arrachant un vœu
« indiscret; mais que la paix du Seigneur soit avec eux !

« Vous offrez tous trois un terrible exemple des dangers
« de l'enthousiasme et du défaut de lumières en matière
« de religion. Rassurez-vous, mon enfant: celui qui
« sonde les reins et les cœurs vous jugera sur vos
5 « intentions, qui étaient pures, et non sur votre action,
« qui est condamnable.

  « Quant à la vie, si le moment est arrivé de vous
« endormir dans le Seigneur, ah! ma chère enfant,
« que vous perdez peu de chose en perdant ce monde!
10 « Malgré la solitude où vous avez vécu, vous avez
« connu les chagrins: que penseriez-vous donc si vous
« eussiez été témoin des maux de la société? si, en
« abordant sur les rivages de l'Europe, votre oreille
« eût été frappée de ce long cri de douleur qui s'élève
15 « de cette vieille terre? L'habitant de la cabane et
« celui des palais, tout souffre, tout gémit ici-bas; les
« reines ont été vues pleurant comme de simples femmes,
« et l'on s'est étonné de la quantité de larmes que
« contiennent les yeux des rois!

20 « Est-ce votre amour que vous regrettez? Ma fille,
« il faudrait autant pleurer un songe. Connaissez-
« vous le cœur de l'homme, et pourriez-vous compter
« les inconstances de son désir? Vous calculeriez plu-
« tôt le nombre des vagues que la mer roule dans une
25 « tempête. Atala, les sacrifices, les bienfaits, ne sont
« pas des liens éternels: un jour peut-être le dégoût
« fût venu avec la satiété, le passé eût été compté pour
« rien, et l'on n'eût plus aperçu que les inconvénients
« d'une union pauvre et méprisée. Sans doute, ma fille,

« les plus belles amours furent celles de cet homme et
« de cette femme sortis de la main du Créateur. Un
« paradis avait été formé pour eux, ils étaient inno-
« cents et immortels. Parfaits de l'âme et du corps,
« ils se convenaient en tout. Ève avait été créée pour 5
« Adam, et Adam pour Ève. S'ils n'ont pu toutefois se
« maintenir dans cet état de bonheur, quels couples le
« pourront après eux ? Je ne vous parlerai point des
« mariages des premiers-nés des hommes, de ces unions
« ineffables, alors que la sœur était l'épouse du frère, 10
« que l'amour et l'amitié fraternelle se confondaient
« dans le même cœur et que la pureté de l'une augmen-
« tait les délices de l'autre. Toutes les unions ont été
« troublées; la jalousie s'est glissée à l'autel de gazon
« où l'on immolait le chevreau, elle a régné sous la tente 15
« d'Abraham et dans ces couches mêmes où les patri-
« arches goûtaient tant de joie qu'ils obliaient la mort
« de leurs mères.

« Vous seriez-vous donc flattée, mon enfant, d'être
« plus innocente et plus heureuse dans vos liens que ces 20
« saintes familles dont Jésus-Christ a voulu descendre ?
« Je vous épargne les détails des soucis du ménage, les
« disputes, les reproches mutuels, les inquiétudes, et
« toutes ces peines secrètes qui veillent sur l'oreiller du
« lit conjugal. La femme renouvelle ses douleurs cha- 25
« que fois qu'elle est mère, et elle se marie en pleurant.
« Que de maux dans la seule perte d'un nouveau-né à
« qui l'on donnait le lait et qui meurt sur votre sein !
« La montagne a été pleine de gémissements; rien ne

« pouvait consoler Rachel, parce que ses fils n'étaient
« plus. Ces amertumes attachées aux tendresses
« humaines sont si fortes, que j'ai vu dans ma patrie de
« grandes dames, aimées par des rois, quitter la cour
5 « pour s'ensevelir dans des cloîtres et mutiler cette
« chair révoltée dont les plaisirs ne sont que des
« douleurs.

« Mais peut-être direz-vous que ces derniers ex-
« emples ne vous regardent pas; que toute votre am-
10 « bition se réduisait à vivre dans une obscure cabane
« avec l'homme de votre choix; que vous cherchiez
« moins les douceurs du mariage que les charmes
« de cette folie que la jeunesse appelle *amour?* Illusion,
« chimère, vanité, rêve d'une imagination blessée! Et
15 « moi aussi, ma fille, j'ai connu les troubles du cœur;
« cette tête n'a pas toujours été chauve ni ce sein aussi
« tranquille qu'il vous le paraît aujourd'hui. Croyez-
« en mon expérience: si l'homme, constant dans
« ses affections, pouvait sans cesse fournir à un senti-
20 « ment renouvelé sans cesse, sans doute la solitude et
« l'amour l'égaleraient à Dieu même, car ce sont là les
« deux éternels plaisirs du grand Être. Mais l'âme de
« l'homme se fatigue, et jamais elle n'aime longtemps
« le même objet avec plénitude. Il y a toujours
25 « quelques points par où deux cœurs ne se touchent pas,
« et ces points suffisent à la longue pour rendre la vie
« insupportable.

« Enfin, ma chère fille, le grand tort des hommes,
« dans leur songe de bonheur, est d'oublier cette in-

« firmité de la mort attachée à leur nature: il faut finir.
« Tôt ou tard, quelle qu'eût été votre félicité, ce beau
« visage se fût changé en cette figure uniforme que
« le sépulcre donne à la famille d'Adam; l'œil même
« de Chactas n'aurait pu vous reconnaître entre vos 5
« sœurs de la tombe. L'amour n'étend point son
« empire sur les vers du cercueil. Que dis-je! (ô vanité
« des vanités!) que parlé-je de la puissance des amitiés
« de la terre! Voulez-vous, ma chère fille, en connaître
« l'étendue? Si un homme revenait à la lumière 10
« quelques années après sa mort, je doute qu'il fût revu
« avec joie par ceux-là mêmes qui ont donné le plus
« de larmes à sa mémoire: tant on forme vite d'autres
« liaisons, tant on prend facilement d'autres habi-
« tudes, tant l'inconstance est naturelle à l'homme, 15
« tant notre vie est peu de chose, même dans le cœur
« de nos amis!

   « Remerciez donc la bonté divine, ma chère fille,
« qui vous retire si vite de cette vallée de misère.
« Déjà le vêtement blanc et la couronne éclatante 20
« des vierges se préparent pour vous sur les nuées;
« déjà j'entends la Reine des Anges qui vous crie:
« Venez, ma digne servante, venez, ma colombe,
« venez vous asseoir sur un trône de candeur, parmi
« toutes ces filles qui ont sacrifié leur beauté et leur 25
« jeunesse au service de l'humanité, à l'éducation
« des enfants et aux chefs-d'œuvre de la pénitence.
« Venez, rose mystique, vous reposer sur le sein de
« Jésus-Christ. Ce cercueil, lit nuptial que vous vous

« êtes choisi, ne sera point trompé, et les embrasse-
« ments de votre céleste époux ne finiront jamais!»

  « Comme le dernier rayon du jour abat les vents et
répand le calme dans le ciel, ainsi la parole tranquille
5 du vieillard apaisa les passions dans le sein de mon
amante. Elle ne parut plus occupée que de ma
douleur et des moyens de me faire supporter sa perte.
Tantôt elle disait qu'elle mourrait heureuse si je lui
promettais de sécher mes pleurs; tantôt elle me
10 parlait de ma mère, de ma patrie; elle cherchait à
me distraire de la douleur présente en réveillant en
moi une douleur passée. Elle m'exhortait à la
patience, à la vertu. « Tu ne seras pas toujours
« malheureux, disait-elle: si le ciel t'éprouve au-
15 « jourd'hui, c'est seulement pour te rendre plus
« compatissant aux maux des autres. Le cœur, ô
« Chactas! est comme ces sortes d'arbres qui ne
« donnent leur baume pour les blessures des hommes
« que lorsque le fer les a blessés eux-mêmes. »

20   « Quand elle avait ainsi parlé, elle se tournait vers
le missionnaire, cherchait auprès de lui le soulagement qu'elle m'avait fait éprouver, et, tour à tour
consolante et consolée, elle donnait et recevait la
parole de vie sur la couche de la mort.

25   « Cependant l'ermite redoublait de zèle. Ses vieux
os s'étaient rallumés par l'ardeur de la charité,
et toujours préparant des remèdes, rallumant le feu,
refraîchissant la couche, il faisait d'admirables
discours sur Dieu et sur le bonheur des justes. Le

flambeau de la religion à la main, il semblait précéder
Atala dans la tombe, pour lui en montrer les secrètes
merveilles. L'humble grotte était remplie de la
grandeur de ce trépas chrétien, et les esprits célestes
étaient sans doute attentifs à cette scène où la 5
religion luttait seule contre l'amour, la jeunesse et
la mort.

« Elle triomphait, cette religion divine, et l'on
s'apercevait de sa victoire à une sainte tristesse qui
succédait dans nos cœurs aux premiers transports 10
des passions. Vers le milieu de la nuit, Atala sembla
se ranimer pour répéter des prières que le religieux
prononçait au bord de sa couche. Peu de temps
après elle me tendit la main, et avec une voix qu'on
entendait à peine, elle me dit: « Fils d'Outalissi, te 15
« rappelles-tu cette première nuit où tu me pris pour
« la Vierge des dernières amours? Singulier présage
« de notre destinée! » Elle s'arrêta, puis elle reprit:
« Quand je songe que je te quitte pour toujours, mon
« cœur fait un tel effort pour revivre, que je me sens 20
« presque le pouvoir de me rendre immortelle à force
« d'aimer. Mais, ô mon Dieu, que votre volonté soit
« faite! » Atala se tut pendant quelques instants; elle
ajouta: « Il ne me reste plus qu'à vous demander
« pardon des maux que je vous ai causés. Je vous ai 25
« beaucoup tourmenté par mon orgueil et mes caprices.
« Chactas, un peu de terre jeté sur mon corps va mettre
« tout un monde entre vous et moi et vous délivrer pour
« toujours du poids de mes infortunes. »

« — Vous pardonner ! répondis-je noyé de larmes:
« n'est-ce pas moi qui ai causé tous vos malheurs ? —
« Mon ami, dit-elle en m'interrompant, vous m'avez
« rendue très-heureuse, et si j'étais à recommencer la
5 « vie, je préférerais encore le bonheur de vous avoir
« aimé quelques instants dans un exil infortuné à
« toute une vie de repos dans ma patrie. »

« Ici la voix d'Atala s'éteignit; les ombres de la mort
se répandirent autour de ses yeux et de sa bouche;
10 ses doigts errants cherchaient à toucher quelque
chose; elle conversait tout bas avec des esprits invisibles. Bientôt, faisant un effort, elle essaya, mais
en vain, de détacher de son cou le petit crucifix;
elle me pria de le dénouer moi-même, et elle me dit:

15 « Quand je te parlai pour la première fois, tu vis cette
« croix briller à la lueur du feu sur mon sein; c'est le seul
« bien que possède Atala. Lopez, ton père et le mien,
« l'envoya à ma mère peu de jours après ma naissance.
« Reçois donc de moi cet héritage, ô mon frère ! con-
20 « serve-le en mémoire de mes malheurs. Tu auras
« recours à ce Dieu des infortunés dans les chagrins de
« ta vie. Chactas, j'ai une dernière prière à te faire.
« Ami, notre union aurait été courte sur la terre, mais
« il est après cette vie une plus longue vie. Qu'il
25 « serait affreux d'être séparée de toi pour jamais ! Je
« ne fais que te devancer aujourd'hui, et je te vais
« attendre dans l'empire céleste. Si tu m'as aimée, fais-
« toi instruire dans la religion chrétienne, qui préparera
« notre réunion. Elle fait sous tes yeux un grand

« miracle, cette religion, puisqu'elle me rend capable
« de te quitter sans mourir dans les angoisses du déses-
« poir. Cependant, Chactas, je ne veux de toi qu'une
« simple promesse, je sais trop ce qu'il en coûte pour te
« demander un serment. Peut-être ce vœu te sépare- 5
« rait-il de quelque femme plus heureuse que moi . . .
« O ma mère ! pardonne à ta fille. O Vierge ! retenez
« votre courroux. Je retombe dans mes faiblesses, et
« je te dérobe, ô mon Dieu ! des pensées qui ne de-
« vraient être que pour toi. » 10

« Navré de douleur, je promis à Atala d'embrasser
un jour la religion chrétienne. A ce spectacle, le
solitaire se levant d'un air inspiré et étendant les
bras vers la voûte de la grotte : « Il est temps, s'écria-t-
« il, il est temps d'appeler Dieu ici ! » 15

« A peine a-t-il prononcé ces mots qu'une force
surnaturelle me contraint de tomber à genoux et
m'incline la tête au pied du lit d'Atala. Le prêtre
ouvre un lieu secret où était enfermée une urne d'or
couverte d'un voile de soie ; il se prosterne, et adore 20
profondément. La grotte parut soudain illuminée ;
on entendit dans les airs les paroles des anges et les
frémissements des harpes célestes, et lorsque le solitaire tira le vase sacré de son tabernacle, je crus voir
Dieu lui-même sortir du flanc de la montagne. 25

« Le prêtre ouvrit le calice ; il prit entre ses deux
doigts une hostie blanche comme la neige, et s'approcha d'Atala en prononçant des mots mystérieux. Cette
sainte avait les yeux levés au ciel, en extase. Toutes

ses douleurs parurent suspendues, toute sa vie se rassembla sur sa bouche; ses lèvres s'entr'ouvrirent, et vinrent avec respect chercher le Dieu caché sous le pain mystique. Ensuite le divin vieillard trempe un
5 peu de coton dans une huile consacrée, il en frotte les tempes d'Atala, il regarde un moment la fille mourante, et tout à coup ces fortes paroles lui échappent: « Par« tez, âme chrétienne, allez rejoindre votre Créateur ! » Relevant alors ma tête abattue, je m'écriai en re
10 gardant le vase où était l'huile sainte: « Mon père, « ce remède rendra-t-il la vie à Atala ? — Oui, mon « fils, dit le vieillard en tombant dans mes bras, la « vie éternelle ! » Atala venait d'expirer. »

Dans cet endroit, pour la seconde fois depuis le
15 commencement de son récit, Chactas fut obligé de s'interrompre. Ses pleurs l'inondaient, et sa voix ne laissait échapper que des mots entrecoupés. Le Sachem aveugle ouvrit son sein, il en tira le crucifix d'Atala. « Le voilà, s'écria-t-il, ce gage de l'adversité !
20 O René ! ô mon fils ! tu le vois, et moi je ne le vois plus ! Dis-moi, après tant d'années, l'or n'en est-il point altéré ? n'y vois-tu point la trace de mes larmes ? Pourrais-tu reconnaître l'endroit qu'une sainte a touché de ses lèvres ? Comment Chactas n'est-il point
25 encore chrétien ? Quelles frivoles raisons de politique et de patrie l'ont jusqu'à présent retenu dans les erreurs de ses pères ? Non, je ne veux pas tarder plus longtemps. La terre me crie: Quand donc descendras-tu dans la tombe, et qu'attends-tu pour embrasser une

religion divine ? . . . O terre! vous ne m'attendrez pas
longtemps: aussitôt qu'un prêtre aura rajeuni dans
l'onde cette tête blanchie par les chagrins, j'espère me
réunir à Atala . . . Mais achevons ce qui me reste à
conter de mon histoire. » 5

LES FUNÉRAILLES

« Je n'entreprendrai point, ô René! de te peindre
aujourd'hui le désespoir qui saisit mon âme lorsque
Atala eut rendu le dernier soupir. Il faudrait avoir
plus de chaleur qu'il ne m'en reste; il faudrait que 10
mes yeux fermés se pussent rouvrir au soleil pour lui
demander compte des pleurs qu'ils versèrent à sa
lumière. Oui, cette lune qui brille à présent sur nos
têtes se lassera d'éclairer les solitudes du Kentucky;
oui, le fleuve qui porte maintenant nos pirogues sus- 15
pendra le cours de ses eaux avant que mes larmes
cessent de couler pour Atala! Pendant deux jours
entiers je fus insensible aux discours de l'ermite. En
essayant de calmer mes peines, cet excellent homme
ne se servait point des vaines raisons de la terre, il se 20
contentait de me dire: « Mon fils, c'est la volonté de
« Dieu; » et il me pressait dans ses bras. Je n'aurais
jamais cru qu'il y eût tant de consolation dans ce peu
de mots du chrétien résigné, si je ne l'avais éprouvé
moi-même. 25

« La tendresse, l'onction, l'inaltérable patience du
vieux serviteur de Dieu, vainquirent enfin l'obstination

de ma douleur. J'eus honte des larmes que je lui faisais
répandre. « Mon père, lui dis-je, c'en est trop: que
« les passions d'un jeune homme ne troublent plus la
« paix de tes jours. Laisse-moi emporter les restes de
5 « mon épouse; je les ensevelirai dans quelque coin
« du désert, et si je suis encore condamné à la vie, je
« tâcherai de me rendre digne de ces noces éternelles
« qui m'ont été promises par Atala. »

« A ce retour inespéré de courage, le bon père tres-
10 saillit de joie; il s'écria: « O sang de Jésus-Christ,
« sang de mon divin Maître, je reconnais là tes mérites !
« Tu sauveras sans doute ce jeune homme. Mon Dieu !
« achève ton ouvrage; rends la paix à cette âme
« troublée, et ne lui laisse de ses malheurs que
15 « d'humbles et utiles souvenirs ! »

« Le juste refusa de m'abandonner le corps de la
fille de Lopez, mais il me proposa de faire venir ses
néophytes et de l'enterrer avec toute la pompe chrétienne; je m'y refusai à mon tour. « Les malheurs et
20 « les vertus d'Atala, lui dis-je, ont été inconnus des
« hommes: que sa tombe, creusée furtivement par
« nos mains, partage cette obscurité. » Nous convîn-
mes que nous partirions le lendemain, au lever du
soleil, pour enterrer Atala sous l'arche du pont
25 naturel, à l'entrée des Bocages de la mort. Il fut
aussi résolu que nous passerions la nuit en prière
auprès du corps de cette sainte.

« Vers le soir, nous transportâmes ses précieux restes
à une ouverture de la grotte qui donnait vers le nord.

L'ermite les avait roulés dans une pièce de lin d'Europe, filé par sa mère: c'était le seul bien qui lui restât de sa patrie, et depuis longtemps il le destinait à son propre tombeau. Atala était couchée sur un gazon de sensitives des montagnes; ses pieds, sa tête, ses épaules et une partie de son sein étaient découverts. On voyait dans ses cheveux une fleur de magnolia fanée... celle-là même que j'avais déposée sur le lit de la vierge pour la rendre féconde. Ses lèvres, comme un bouton de rose cueilli depuis deux matins, semblaient languir et sourire. Dans ses joues, d'une blancheur éclatante, on distinguait quelques veines bleues. Ses beaux yeux étaient fermés, ses pieds modestes étaient joints, et ses mains d'albâtre pressaient sur son cœur un crucifix d'ébène; le scapulaire de ses vœux était passé à son cou. Elle paraissait enchantée par l'Ange de la mélancolie et par le double sommeil de l'innocence et de la tombe: je n'ai rien vu de plus céleste. Quiconque eût ignoré que cette jeune fille avait joui de la lumière aurait pu la prendre pour la statue de la Virginité endormie.

« Le religieux ne cessa de prier toute la nuit. J'étais assis en silence au chevet du lit funèbre de mon Atala. Que de fois, durant son sommeil, j'avais supporté sur mes genoux cette tête charmante! Que de fois je m'étais penché sur elle pour entendre et pour respirer son souffle! Mais à présent aucun bruit ne sortait de ce sein immobile, et c'était en vain que j'attendais le réveil de la beauté!

« La lune prêta son pâle flambeau à cette veillée
funèbre. Elle se leva au milieu de la nuit, comme une
blanche vestale qui vient pleurer sur le cercueil d'une
compagne. Bientôt elle répandit dans les bois ce
5 grand secret de mélancolie qu'elle aime à raconter aux
vieux chênes et aux rivages antiques des mers. De
temps en temps le religieux plongeait un rameau
fleuri dans une eau consacrée, puis, secouant la branche
humide, il parfumait la nuit des baumes du ciel. Par-
10 fois il répétait sur un air antique quelques vers d'un
vieux poète nommé *Job;* il disait:

« J'ai passé comme une fleur; j'ai séché comme
« l'herbe des champs.

« Pourquoi la lumière a-t-elle été donnée à un misé-
15 « rable et la vie à ceux qui sont dans l'amertume du
« cœur ? »

« Ainsi chantait l'ancien des hommes. Sa voix
grave et peu cadencée allait roulant dans le silence des
déserts. Le nom de Dieu et du tombeau sortait de
20 tous les échos, de tous les torrents, de toutes les forêts.
Les roucoulements de la colombe de Virginie, la chute
d'un torrent dans la montagne, les tintements de la
cloche qui appelait les voyageurs, se mêlaient à ces
chants funèbres, et l'on croyait entendre dans les
25 Bocages de la mort le chœur lointain des décédés, qui
répondait à la voix du solitaire.

« Cependant une barre d'or se forma dans l'orient.
Les éperviers criaient sur les rochers et les martres
rentraient dans le creux des ormes: c'était le signal

du convoi d'Atala.   Je chargeai le corps sur mes
épaules; l'ermite marchait devant moi, une bêche à la
main.   Nous commençâmes à descendre de rocher en
rocher, la vieillesse et la mort ralentissaient également
nos pas.   A la vue du chien qui nous avait trouvés dans   5
la forêt, et qui maintenant, bondissant de joie, nous
traçait une autre route, je me mis à fondre en larmes.
Souvent la longue chevelure d'Atala, jouet des brises
matinales, étendait son voile d'or sur mes yeux; souvent pliant sous le fardeau, j'étais obligé de le dépo-   10
ser sur la mousse et de m'asseoir auprès, pour reprendre
des forces.   Enfin, nous arrivâmes au lieu marqué par
ma douleur; nous descendîmes sous l'arche du pont.
O mon fils! il eût fallu voir un jeune sauvage et un
vieil ermite à genoux l'un vis-à-vis de l'autre dans un   15
désert, creusant avec leurs mains un tombeau pour
une pauvre fille dont le corps était étendu près de là,
dans la ravine desséchée d'un torrent.

« Quand notre ouvrage fut achevé, nous transportâmes la beauté dans son lit d'argile.   Hélas! j'avais   20
espéré de préparer une autre couche pour elle!   Prenant alors un peu de poussière dans ma main et
gardant un silence effroyable, j'attachai pour la dernière fois mes yeux sur le visage d'Atala.   Ensuite
je répandis la terre du sommeil sur un front de dix-   25
huit printemps, je vis graduellement disparaître les
traits de ma sœur et ses grâces se cacher sous le
rideau de l'éternité; son sein surmonta quelque
temps le sol noirci, comme un lis blanc s'élève du mi-

lieu d'une sombre argile: « Lopez, m'écriai-je alors,
« vois ton fils inhumer ta fille ! » et j'achevai de couvrir
Atala de la terre du sommeil.

« Nous retournâmes à la grotte, et je fis part au
5 missionnaire du projet que j'avais formé de me fixer
près de lui. Le saint, qui connaissait merveilleuse-
ment le cœur de l'homme, découvrit ma pensée et la
ruse de ma douleur. Il me dit: « Chactas, fils d'Ou-
« talissi, tandis qu'Atala a vécu je vous ai sollicité
10 « moi-même de demeurer auprès de moi, mais à pré-
« sent votre sort est changé, vous vous devez à votre
« patrie. Croyez-moi, mon fils, les douleurs ne sont
« point éternelles; il faut tôt ou tard qu'elles finissent,
« parce que le cœur de l'homme est fini: c'est une de
15 « nos grandes misères: nous ne sommes pas même
« capables d'être longtemps malheureux. Retournez
« au Meschacebé; allez consoler votre mère, qui vous
« pleure tous les jours et qui a besoin de votre appui.
« Faites-vous instruire dans la religion de votre Atala,
20 « lorsque vous en trouverez l'occasion, et souvenez-
« vous que vous lui avez promis d'être vertueux et
« chrétien. Moi, je veillerai ici sur son tombeau.
« Partez, mon fils. Dieu, l'âme de votre sœur et le
« cœur de votre vieil ami vous suivront. »

25 « Telles furent les paroles de l'homme du rocher;
son autorité était trop grande, sa sagesse trop profonde, pour ne pas lui obéir. Dès le lendemain je
quittai mon vénérable hôte, qui, me pressant sur son
cœur, me donna ses derniers conseils, sa dernière

bénédiction et ses dernières larmes. Je passai au
tombeau; je fus surpris d'y trouver une petite croix
qui se montrait au-dessus de la mort, comme on aperçoit encore le mât d'un vaisseau qui a fait naufrage.
Je jugeai que le solitaire était venu prier au tombeau 5
pendant la nuit; cette marque d'amitié et de religion
fit couler mes pleurs en abondance. Je fus tenté de
rouvrir la fosse et de voir encore une fois ma bien-
aimée; une crainte religieuse me retint. Je m'assis sur
la terre fraîchement remuée. Un coude appuyé sur 10
mes genoux et la tête soutenue dans ma main, je demeurai enseveli dans la plus amère rêverie. O René!
c'est là que je fis pour la première fois des réflexions
sérieuses sur la vanité de nos jours et la plus grande
vanité de nos projets! Eh, mon enfant! qui ne les a 15
point faites, ces réflexions? Je ne suis plus qu'un
vieux cerf blanchi par les hivers; mes ans le disputent
à ceux de la corneille: eh bien, malgré tant de jours
accumulés sur ma tête, malgré une si longue expérience
de la vie, je n'ai point encore rencontré d'homme qui 20
n'eût été trompé dans ses rêves de félicité, point de
cœur qui n'entretînt une plaie cachée. Le cœur le plus
serein en apparence ressemble au puits naturel de
la savane Alachua: la surface en paraît calme et pure,
mais quand vous regardez au fond du bassin, vous 25
apercevez un large crocodile, que le puits nourrit dans
ses eaux.

« Ayant ainsi vu le soleil se lever et se coucher sur
ce lieu de douleur, le lendemain, au premier cri de la

cigogne, je me préparai à quitter la sépulture sacrée.
J'en partis comme de la borne d'où je voulais m'élancer
dans la carrière de la vertu.   Trois fois j'évoquai
l'âme d'Atala; trois fois le Génie du désert répondit à
5 mes cris sous l'arche funèbre. Je saluai ensuite l'orient,
et je découvris au loin, dans les sentiers de la montagne,
l'ermite qui se rendait à la cabane de quelque infortuné.
Tombant à genoux et embrassant étroitement la fosse,
je m'écriai: « Dors en paix dans cette terre étrangère,
10 « fille trop malheureuse ! Pour prix de ton amour,
« de ton exil et de ta mort, tu vas être abandonnée,
« même de Chactas ! »   Alors, versant des flots de
larmes, je me séparai de la fille de Lopez; alors je
m'arrachai de ces lieux, laissant au pied du monu-
15 ment de la nature un monument plus auguste:
l'humble tombeau de la vertu. »

ÉPILOGUE

Chactas, fils d'Outalissi le Natchez, a fait cette histoire à René l'Européen. Les pères l'ont redite aux enfants, et moi, voyageur aux terres lointaines, j'ai fidèlement rapporté ce que les Indiens m'en ont appris. Je vis dans ce récit le tableau du peuple chasseur et du peuple laboureur, la religion, première législatrice des hommes, les dangers de l'ignorance et de l'enthousiasme religieux opposés aux lumières, à la charité et au véritable esprit de l'Évangile, les combats des passions et des vertus dans un cœur simple, enfin le triomphe du christianisme sur le sentiment le plus fougueux et la crainte la plus terrible, l'amour et la mort.

Quand un Siminole me raconta cette histoire, je la trouvai fort instructive et parfaitement belle, parce qu'il y mit la fleur du désert, la grâce de la cabane et une simplicité à conter la douleur que je ne me flatte pas d'avoir conservées. Mais une chose me restait à savoir. Je demandais ce qu'était devenu le père Aubry, et personne ne me le pouvait dire. Je l'aurais toujours ignoré, si la Providence, qui conduit tout, ne m'avait découvert ce que je cherchais. Voici comme la chose se passa:

J'avais parcouru les rivages du Meschacebé, qui formaient autrefois la barrière méridionale de la Nouvelle-France, et j'étais curieux de voir, au nord,

l'autre merveille de cet empire, la cataracte de Niagara.
J'étais arrivé tout près de cette chute, dans l'ancien
pays des Agannonsioni,[1] lorsqu'un matin, en traver-
sant une plaine, j'aperçus une femme assise sous un
5 arbre et tenant un enfant mort sur ses genoux. Je
m'approchai doucement de la jeune mère, et je l'entendis qui disait:

« Si tu étais resté parmi nous, cher enfant, comme
« ta main eût bandé l'arc avec grâce ! Ton bras eût
10 « dompté l'ours en fureur, et sur le sommet de la
« montagne tes pas auraient défié le chevreuil à la
« course. Blanche hermine du rocher, si jeune être
« allé dans le pays des âmes ! Comment feras-tu pour
« y vivre ? Ton père n'y est point pour t'y nourrir
15 « de sa chasse. Tu auras froid, et aucun Esprit ne te
« donnera des peaux pour te couvrir. Oh ! il faut que
« je me hâte de t'aller rejoindre pour te chanter des
« chansons et de présenter mon sein. »

Et la jeune mère chantait d'une voix tremblante,
20 balançait l'enfant sur ses genoux, humectait ses lèvres
du lait maternel et prodiguait à la mort tous les soins
qu'on donne à la vie.

Cette femme voulait faire sécher le corps de son
fils sur les branches d'un arbre, selon la coutume in-
25 dienne, afin de l'emporter ensuite aux tombeaux de
ses pères. Elle dépouilla donc le nouveau-né, et res-
pirant quelques instants sur sa bouche, elle dit: « Ame
« de mon fils, âme charmante, ton père t'a créée jadis

---

[1] Les Iroquois.

« sur mes lèvres par un baiser; hélas! les miens n'ont
« pas le pouvoir de te donner une seconde naissance. »
Ensuite elle découvrit son sein, et embrassa ses restes
glacés, qui se fussent ranimés au fond du cœur maternel si Dieu ne s'était réservé le souffle qui donne la vie. 5

Elle se leva, et chercha des yeux un arbre sur les
branches duquel elle pût exposer son enfant. Elle
choisit un érable à fleurs rouges, festonné de guirlandes
d'apios, et qui exhalait les parfums les plus suaves.
D'une main elle en abaissa les rameaux inférieurs, de 10
l'autre elle y plaça le corps; laissant alors échapper la
branche, la branche retourna à sa position naturelle,
emportant la dépouille de l'innocence, cachée dans un
feuillage odorant. Oh! que cette coutume indienne
est touchante! Je vous ai vus dans vos campagnes 15
désolées, pompeux monuments des Crassus et des
Césars, et je vous préfère encore ces tombeaux aériens
du sauvage, ces mausolées de fleurs et de verdure que
parfume l'abeille, que balance le zéphyr, et où le ros-
signol bâtit son nid et fait entendre sa plaintive mélo- 20
die. Si c'est la dépouille d'une jeune fille que la main
d'un amant a suspendue à l'arbre de la mort, si ce sont
les restes d'un enfant chéri qu'une mère a placés dans la
demeure des petits oiseaux, le charme redouble encore.
Je m'approchai de celle qui gémissait au pied de l'é- 25
rable; je lui imposai les mains sur la tête en poussant
les trois cris de douleur. Ensuite, sans lui parler,
prenant comme elle un rameau, j'écartai les insectes
qui bourdonnaient autour du corps de l'enfant. Mais

je me donnai de garde d'effrayer une colombe voisine.
L'Indienne lui disait: « Colombe, si tu n'es pas l'âme
de mon fils qui s'est envolée, tu es sans doute une
mère qui cherche quelque chose pour faire un nid.
5 Prends de ces cheveux, que je ne laverai plus dans
l'eau d'esquine; prends-en pour coucher tes petits:
puisse le grand Esprit te les conserver ! »

Cependant la mère pleurait de joie en voyant la
politesse de l'étranger. Comme nous faisions ceci, un
10 jeune homme approcha: « Fille de Céluta, retire notre
enfant; nous ne séjournerons pas plus longtemps ici
et nous partirons au premier soleil. » Je dis alors:
« Frère, je te souhaite un ciel bleu, beaucoup de
chevreuils, un manteau de castor et l'espérance. Tu
15 n'es donc pas de ce désert ? — Non, répondit le jeune
homme, nous sommes des exilés et nous allons chercher
une patrie. » En disant cela le guerrier baissa la tête
dans son sein, et avec le bout de son arc il abattait la
tête des fleurs. Je vis qu'il y avait des larmes au fond
20 de cette histoire, et je me tus. La femme retira son
fils des branches de l'arbre et elle le donna à porter à
son époux. Alors je dis: « Voulez-vous me permettre
d'allumer votre feu cette nuit ? — Nous n'avons point
de cabane, reprit le guerrier; si vous voulez nous
25 suivre, nous campons au bord de la chute. — Je le
veux bien, » répondis-je, et nous partîmes ensemble.

Nous arrivâmes bientôt au bord de la cataracte,
qui s'annonçait par d'affreux mugissements. Elle
est formée par la rivière Niagara, qui sort du lac

Érié et se jette dans le lac Ontario; sa hauteur per-
pendiculaire est de cent quarante-quatre pieds. Depuis le lac Érié jusqu'au Saut, le fleuve accourt par
une pente rapide, et au moment de la chute c'est
moins un fleuve qu'une mer dont les torrents se pres- 5
sent à la bouche béante d'un gouffre. La cataracte
se divise en deux branches et se courbe en fer à cheval.
Entre les deux chutes s'avance une île creusée en
dessous, qui pend avec tous ses arbres sur le chaos des
ondes. La masse du fleuve qui se précipite au midi 10
s'arrondit en un vaste cylindre, puis se déroule en
nappe de neige et brille au soleil de toutes les couleurs; celle qui tombe au levant descend dans une
ombre effrayante; on dirait d'une colonne d'eau du
déluge. Mille arcs-en-ciel se courbent et se croisent 15
sur l'abîme. Frappant le roc ébranlé, l'eau rejaillit en
tourbillons d'écume, qui s'élèvent au-dessus des forêts
comme les fumées d'un vaste embrasement. Des
pins, des noyers sauvages, des rochers taillés en
forme de fantômes, décorent la scène. Des aigles 20
entraînés par le courant d'air descendent en tour-
noyant au fond du gouffre, et des carcajous se suspendent par leurs queues flexibles au bout d'une
branche abaissée pour saisir dans l'abîme les cadavres brisés des élans et des ours.   25

Tandis qu'avec un plaisir mêlé de terreur je con-
templais ce spectacle, l'Indienne et son époux me
quittèrent. Je les cherchai en remontant le fleuve au-
dessus de la chute, et bientôt je les trouvai dans un

endroit convenable à leur deuil. Ils étaient couchés
sur l'herbe, avec des vieillards, auprès de quelques ossements humains enveloppés dans des peaux de bêtes.
Étonné de tout ce que je voyais depuis quelques
5 heures, je m'assis auprès de la jeune mère, et lui dis:
« Qu'est-ce que tout ceci, ma sœur? » Elle me répondit: « Mon frère, c'est la terre de la patrie, ce sont
« les cendres de nos aïeux, qui nous suivent dans notre
« exil. — Et comment, m'écriai-je, avez-vous été ré-
10 « duits à un tel malheur? » La fille de Céluta repartit:
« Nous sommes les restes des Natchez. Après le
« massacre que les Français firent de notre nation
« pour venger leurs frères, ceux de nos frères qui
« échappèrent aux vainqueurs trouvèrent un asile
15 « chez les Chikassas, nos voisins. Nous y sommes
« demeurés assez longtemps tranquilles; mais il y a
« sept lunes que les blancs de la Virginie se sont em-
« parés de nos terres, en disant qu'elles leur ont été
« données par un roi d'Europe. Nous avons levé les
20 « yeux au ciel, et chargés des restes de nos aïeux, nous
« avons pris notre route à travers le désert. Je suis
« accouchée pendant la marche et comme mon lait
« était mauvais, à cause de la douleur, il a fait mourir
« mon enfant. » En disant cela, la jeune mère essuya
25 ses yeux avec sa chevelure; je pleurais aussi.

« Or, je dis bientôt: « Ma sœur, adorons le grand
« Esprit, tout arrive par son ordre. Nous sommes tous
« voyageurs, nos pères l'ont été comme nous; mais
« il y a un lieu où nous nous reposerons. Si je ne craig-

« nais d'avoir la langue aussi légère que celle d'un blanc,
« je vous demanderais si vous avez entendu parler
« de Chactas le Natchez. »   A ces mots l'Indienne me
regarda et me dit: « Qui est-ce qui vous a parlé de
« Chactas le Natchez? »   Je répondis: « C'est la Sa-
« gesse. »   L'Indienne reprit: « Je vous dirai ce que je
« sais, parce que vous avez éloigné les mouches du
« corps de mon fils et que vous venez de dire de belles
« paroles sur le grand Esprit.   Je suis la fille de la
« fille de René l'Européen, que Chactas avait adopté.
« Chactas, qui avait reçu le baptême, et René, mon
« aïeul si malheureux, ont péri dans le massacre. —
« L'homme va toujours de douleur en douleur, répon-
« dis-je en m'inclinant.   Vous pourriez donc aussi
« m'apprendre des nouvelles du père Aubry? — Il n'a
« pas été plus heureux que Chactas, dit l'Indienne.
« Les Chéroquois, ennemis des Français, pénétrèrent à
« sa Mission; ils y furent conduits par le son de la
« cloche qu'on sonnait pour secourir les voyageurs.
« Le père Aubry se pouvait sauver, mais il ne voulut
« pas abandonner ses enfants, et il demeura pour les
« encourager à mourir par son exemple.   Il fut brûlé
« avec de grandes tortures; jamais on ne put tirer de
« lui un cri qui tournât à la honte de son Dieu ou au
« déshonneur de sa patrie.   Il ne cessa, durant le
« supplice, de prier pour ses bourreaux et de compatir
« au sort des victimes.   Pour lui arracher une marque
« de faiblesse, les Chéroquois amenèrent à ses pieds un
« sauvage chrétien qu'ils avaient horriblement mutilé.

« Mais ils furent bien surpris quand ils virent le jeune
« homme se jeter à genoux et baiser les plaies du vieil
« ermite, qui lui criait: « Mon enfant, nous avons été
« mis en spectacle aux anges et aux hommes. » Les
5 « Indiens furieux lui plongèrent un fer rouge dans la
« gorge pour l'empêcher de parler. Alors, ne pouvant
« plus consoler les hommes, il expira.

  « On dit que les Chéroquois, tout accoutumés qu'ils
« étaient à voir des sauvages souffrir avec constance,
10 « ne purent s'empêcher d'avouer qu'il y avait dans
« l'humble courage du père Aubry quelque chose qui
« leur était inconnu et qui surpassait tous les courages
« de la terre. Plusieurs d'entre eux, frappés de cette
« mort, se sont faits chrétiens.

15   « Quelques années après, Chactas, à son retour de la
« terre des blancs, ayant appris les malheurs du chef
« de la prière, partit pour aller recueillir ses cendres
« et celles d'Atala. Il arriva à l'endroit où était située
« la Mission, mais il put à peine le reconnaître. Le
20 « lac s'était débordé et la savane était changée en un
« marais; le pont naturel, en s'écroulant, avait en-
« seveli sous ses débris le tombeau d'Atala et les
« Bocages de la mort. Chactas erra longtemps dans
« ce lieu; il visita la grotte du solitaire, qu'il trouva
25 « remplie de ronces et de framboisiers, et dans laquelle
« une biche allaitait son faon. Il s'assit sur le rocher
« de la Veillée de la mort, où il ne vit que quelques
« plumes tombées de l'aile de l'oiseau de passage.
« Tandis qu'il y pleurait, le serpent familier du mis-

« sionnaire sortit des broussailles voisines, et vint
« s'entortiller à ses pieds. Chactas réchauffa dans son
« sein ce fidèle ami, resté seul au milieu de ces ruines.
« Le fils d'Outalissi a raconté que plusieurs fois, aux
« approches de la nuit, il avait cru voir les ombres
« d'Atala et du père Aubry s'élever dans la vapeur du
« crépuscule. Ces visions le remplirent d'une religieuse
« frayeur et d'une joie triste.

« Après avoir cherché vainement le tombeau de sa
« sœur et celui de l'ermite, il était près d'abandonner
« ces lieux, lorsque la biche de la grotte se mit à bondir
« devant lui. Elle s'arrêta au pied de la croix de la
« Mission. Cette croix était alors à moitié entourée
« d'eau; son bois était rongé de mousse, et le pélican
« du désert aimait à se percher sur ses bras vermoulus.
« Chactas jugea que la biche reconnaissante l'avait
« conduit au tombeau de son hôte. Il creusa sous la
« roche qui jadis servait d'autel, et il y trouva les
« restes d'un homme et d'une femme. Il ne douta
« point que ce fussent ceux du prêtre et de la vierge,
« que les anges avaient peut-être ensevelis dans ce
« lieu; il les enveloppa dans des peaux d'ours et re-
« prit le chemin de son pays, emportant ces précieux
« restes, qui résonnaient sur ses épaules comme le
« carquois de la mort. La nuit il les mettait sous sa
« tête et il avait des songes d'amour et de vertu. O
« étranger! tu peux contempler ici cette poussière avec
« celle de Chactas lui-même. »

Comme l'Indienne achevait de prononcer ces mots,

je me levai; je m'approchai des cendres sacrées et me prosternai devant elles en silence. Puis, m'éloignant à grands pas, je m'écriai: « Ainsi passe sur la « terre tout ce qui fut bon, vertueux, sensible ! Homme
5 « tu n'es qu'un songe rapide, un rêve douloureux; tu « n'existes que par le malheur; tu n'es quelque chose « que par la tristesse de ton âme et l'éternelle mélan- « colie de ta pensée ! »

Ces réflexions m'occupèrent toute la nuit. Le len-
10 demain, au point du jour, mes hôtes me quittèrent. Les jeunes guerriers ouvraient la marche et les épouses la fermaient; les premiers étaient chargés des saintes reliques; les secondes portaient leurs nouveau-nés; les vieillards cheminaient lentement au milieu, placés
15 entre leurs aïeux et leur postérité, entre les souvenirs et l'espérance, entre la patrie perdue et la patrie à venir. Oh ! que de larmes sont répandues lorsqu'on abandonne ainsi la terre natale, lorsque du haut de la colline de l'exil on découvre pour la dernière fois le
20 toit où l'on fut nourri et le fleuve de la cabane qui continue à couler tristement à travers les champs solitaires de la patrie !

Indiens infortunés que j'ai vus errer dans les déserts du Nouveau-Monde avec les cendres de vos aïeux !
25 vous qui m'aviez donné l'hospitalité malgré votre misère ! je ne pourrais vous la rendre aujourd'hui, car j'erre, ainsi que vous, à la merci des hommes, et moins heureux dans mon exil, je n'ai point emporté les os de mes pères !

FIN D'ATALA

RENÉ

CHATEAUBRIAND

RENÉ

Eɴ arrivant chez les Natchez, René avait été obligé
de prendre une épouse, pour se conformer aux mœurs
des Indiens, mais il ne vivait point avec elle. Un
penchant mélancolique l'entraînait au fond des bois;
il y passait seul des journées entières, et semblait 5
sauvage parmi les sauvages. Hors Chactas, son père
adoptif, et le père Souël, missionnaire au fort Rosalie,[1]
il avait renoncé au commerce des hommes. Ces deux
vieillards avaient pris beaucoup d'empire sur son
cœur: le premier, par une indulgence aimable; l'autre, 10
au contraire, par une extrême sévérité. Depuis la
chasse du castor, où le Sachem aveugle raconta ses
aventures à René, celui-ci n'avait jamais voulu parler
des siennes. Cependant Chactas et le missionnaire
désiraient vivement connaître par quel malheur un 15
Européen bien né avait été conduit à l'étrange résolution de s'ensevelir dans les déserts de la Louisiane.
René avait toujours donné pour motif de ses refus le
peu d'intérêt de son histoire, qui se bornait, disait-il,
à celle de ses pensées et de ses sentiments. « Quant à 20
« l'événement qui m'a déterminé à passer en Amérique,
« ajoutait-il, je le dois ensevelir dans un éternel
« oubli. »

[1] Colonie française aux Natchez.

Quelques années s'écoulèrent de la sorte, sans que
les deux vieillards lui pussent arracher son secret. Une
lettre qu'il reçut d'Europe, par le bureau des Missions
étrangères, redoubla tellement sa tristesse, qu'il
5 fuyait jusqu'à ses vieux amis. Ils n'en furent que plus
ardents à le presser de leur ouvrir son cœur; · ils y
mirent tant de discrétion, de douceur et d'autorité,
qu'il fut enfin obligé de les satisfaire. Il prit donc jour
avec eux pour leur raconter, non les aventures de sa
10 vie, puisqu'il n'en avait point éprouvé, mais les sentiments secrets de son âme.

Le 21 de ce mois que les sauvages appellent *la lune
des fleurs*, René se rendit à la cabane de Chactas. Il
donna le bras au Sachem, et le conduisit sous un
15 sassafras, au bord du Meschacebé. Le père Souël ne
tarda pas à arriver au rendez-vous. L'aurore se levait:
à quelque distance dans la plaine, on apercevait le
village des Natchez, avec son bocage de mûriers et ses
cabanes qui ressemblent à des ruches d'abeilles. La
20 colonie française et le fort Rosalie se montraient sur
la droite, au bord du fleuve. Des tentes, des maisons
à moitié bâties, des forteresses commencées, des
défrichements couverts de nègres, des groupes de
blancs et d'Indiens, présentaient, dans ce petit espace,
25 le contraste des mœurs sociales et des mœurs sauvages.
Vers l'orient, au fond de la perspective, le soleil commençait à paraître entre les sommets brisés des Apalaches, qui se dessinaient comme des caractères d'azur
dans les hauteurs dorées du ciel; à l'occident, le Mes-

chacebé roulait ses ondes dans un silence magnifique et formait la bordure du tableau avec une inconcevable grandeur.

Le jeune homme et le missionaire admirèrent quelque temps cette belle scène, en plaignant le Sachem, qui ne pouvait plus en jouir; ensuite le père Souël et Chactas s'assirent sur le gazon, au pied de l'arbre; René prit sa place au milieu d'eux, et après un moment de silence, il parla de la sorte à ses vieux amis:

« Je ne puis, en commençant mon récit, me défendre d'un mouvement de honte. La paix de vos cœurs, respectables vieillards, et le calme de la nature autour de moi me font rougir du trouble et de l'agitation de mon âme.

« Combien vous aurez pitié de moi! Que mes éternelles inquiétudes vous paraîtront misérables! Vous qui avez épuisé tous les chagrins de la vie, que penserez-vous d'un jeune homme sans force et sans vertu, qui trouve en lui-même son tourment et ne peut guère se plaindre que des maux qu'il se fait à lui-même? Hélas! ne le condamnez pas: il a été trop puni!

« J'ai coûté la vie à ma mère en venant au monde; j'ai été tiré de son sein avec le fer. J'avais un frère, que mon père bénit, parce qu'il voyait en lui son fils aîné. Pour moi, livré de bonne heure à des mains étrangères, je fus élevé loin du toit paternel.

« Mon humeur était impétueuse, mon caractère inégal. Tour à tour bruyant et joyeux, silencieux et

triste, je rassemblais autour de moi mes jeunes compagnons, puis, les abandonnant tout à coup, j'allais
m'asseoir à l'écart pour contempler la nue fugitive ou
entendre la pluie tomber sur le feuillage.

5　　« Chaque automne je revenais au château paternel,
situé au milieu des forêts, près d'un lac, dans une
province reculée.

« Timide et contraint devant mon père, je ne trouvais l'aise et le contentement qu'auprès de ma sœur
10 Amélie. Une douce conformité d'humeur et de goûts
m'unissait étroitement à cette sœur; elle était un peu
plus âgée que moi. Nous aimions à gravir les coteaux
ensemble, à voguer sur le lac, à parcourir les bois à
la chute des feuilles: promenades dont le souvenir
15 remplit encore mon âme de délices. O illusion de l'enfance et de la patrie, ne perdez-vous jamais vos douceurs!

« Tantôt nous marchions en silence, prêtant l'oreille
au sourd mugissement de l'automne ou au bruit des
20 feuilles séchées que nous traînions tristement sous nos
pas; tantôt, dans nos jeux innocents, nous pour-
suivions l'hirondelle dans la prairie, l'arc-en-ciel sur
les collines pluvieuses; quelquefois aussi nous mur-
murions des vers que nous inspirait le spectacle de la
25 nature. Jeune, je cultivais les Muses; il n'y a rien
de plus poétique, dans la fraîcheur de ses passions,
qu'un cœur de seize années. Le matin de la vie est
comme le matin du jour, plein de pureté, d'images et
d'harmonies.

« Les dimanches et les jours de fête, j'ai souvent entendu dans le grand bois, à travers les arbres, les sons
de la cloche lointaine qui appelait au temple l'homme
des champs.   Appuyé contre le tronc d'un ormeau,
j'écoutais en silence le pieux murmure.   Chaque fré- 5
missement de l'airain portait à mon âme naïve l'innocence des mœurs champêtres, le calme de la solitude,
le charme de la religion et la délectable mélancolie des
souvenirs de ma première enfance !   Oh ! quel cœur si
mal fait n'a tressailli au bruit des cloches de son lieu 10
natal, de ces cloches qui frémirent de joie sur son
berceau, qui annoncèrent son avènement à la vie, qui
marquèrent le premier battement de son cœur, qui
publièrent dans tous les lieux d'alentour la sainte allégresse de son père, les douleurs et les joies encore plus 15
ineffables de sa mère !   Tout se trouve dans les rêveries
enchantées où nous plonge le bruit de la cloche natale:
religion, famille, patrie, et le berceau et la tombe, et
le passé et l'avenir.

« Il est vrai qu'Amélie et moi nous jouissions plus 20
que personne de ces idées graves et tendres, car nous
avions tous les deux un peu de tristesse au fond du
cœur: nous tenions cela de Dieu ou de notre mère.

« Cependant mon père fut atteint d'une maladie qui
le conduisit en peu de jours au tombeau.   Il expira 25
dans mes bras.   J'appris à connaître la mort sur les
lèvres de celui qui m'avait donné la vie.   Cette impression fut grande; elle dure encore.   C'est la première fois que l'immortalité de l'âme s'est présentée

clairement à mes yeux. Je ne pus croire que ce corps inanimé était en moi l'auteur de la pensée; je sentis qu'elle devait venir d'une autre source, et, dans une sainte douleur, qui approchait de la joie, j'espérai me
5 joindre un jour à l'esprit de mon père.

« Un autre phénomène me confirma dans cette haute idée. Les traits paternels avaient pris au cercueil quelque chose de sublime. Pourquoi cet étonnant mystère ne serait-il pas l'indice de notre immor-
10 talité? Pourquoi la mort, qui sait tout, n'aurait-elle pas gravé sur le front de sa victime les secrets d'un autre univers? Pourquoi n'y aurait-il pas dans la tombe quelque grande vision de l'éternité?

« Amélie, accablée de douleur, était retirée au fond
15 d'une tour, d'où elle entendit retentir, sous les voûtes du château gothique, le chant des prêtres du convoi et les sons de la cloche funèbre.

« J'accompagnai mon père à son dernier asile; la terre se referma sur sa dépouille; l'éternité et l'oubli
20 le pressèrent de tout leur poids: le soir même l'indifférent passait sur sa tombe; hors pour sa fille et pour son fils, c'était déjà comme s'il n'avait jamais été.

« Il fallut quitter le toit paternel, devenu l'héritage de mon frère: je me retirai avec Amélie chez de vieux
25 parents.

« Arrêté à l'entrée des voies trompeuses de la vie, je les considérais l'une après l'autre sans m'y oser engager. Amélie m'entretenait souvent du bonheur de la vie religieuse; elle me disait que j'étais le seul lien

qui la retînt dans le monde, et ses yeux s'attachaient
sur moi avec tristesse.

« Le cœur ému par ces conversations pieuses, je
portais souvent mes pas vers un monastère voisin
de mon nouveau séjour; un moment même j'eus la 5
tentation d'y cacher ma vie. Heureux ceux qui ont
fini leur voyage sans avoir quitté le port, et qui
n'ont point, comme moi, traîné d'inutiles jours sur
la terre !

« Les Européens, incessamment agités, sont obligés 10
de se bâtir des solitudes. Plus notre cœur est tumul-
tueux et bruyant, plus le calme et le silence nous
attirent. Ces hospices de mon pays, ouverts aux
malheureux et aux faibles, sont souvent cachés dans
des vallons qui portent au cœur le vague sentiment de 15
l'infortune et l'espérance d'un abri; quelquefois aussi
on les découvre sur de hauts sites où l'âme religieuse,
comme une plante des montagnes, semble s'élever vers
le ciel pour lui offrir ses parfums.

« Je vois encore le mélange majestueux des eaux et 20
des bois de cette antique abbaye où je pensai dérober ma vie au caprice du sort; j'erre encore au
déclin du jour dans ces cloîtres retentissants et solitaires. Lorsque la lune éclairait à demi les piliers des
arcades et dessinait leur ombre sur le mur opposé, 25
je m'arrêtais à contempler la croix qui marquait
le champ de la mort et les longues herbes qui crois-
saient entre les pierres des tombes. O hommes qui,
ayant vécu loin du monde, avez passé du silence de

la vie au silence de la mort, de quel dégoût de la terre vos tombeaux ne remplissaient-ils pas mon cœur !

« Soit inconstance naturelle, soit préjugé contre la vie monastique, je changeai mes desseins, je me réso-
5 lus à voyager. Je dis adieu à ma sœur; elle me serra dans ses bras avec un mouvement qui ressemblait à de la joie, comme si elle eût été heureuse de me quitter; je ne pus me défendre d'une réflexion amère sur l'inconséquence des amitiés humaines.

10 « Cependant, plein d'ardeur, je m'élançai seul sur cet orageux océan du monde, dont je ne connaissais ni les ports ni les écueils. Je visitai d'abord les peuples qui ne sont plus: je m'en allai, m'asseyant sur les débris de Rome et de la Grèce, pays de forte et d'in-
15 génieuse mémoire, où les palais sont ensevelis dans la poudre et les mausolées des rois cachés sous les ronces. Force de la nature et faiblesse de l'homme ! un brin d'herbe perce souvent le marbre le plus dur de ces tombeaux, que tous ces morts, si puissants, ne sou-
20 lèveront jamais !

« Quelquefois une haute colonne se montrait seule debout dans un désert, comme une grande pensée s'élève par intervalles dans une âme que le temps et le malheur ont dévastée.

25 « Je méditai sur ces monuments dans tous les acci-
dents et à toutes les heures de la journée. Tantôt ce même soleil qui avait vu jeter les fondements de ces cités se couchait majestueusement à mes yeux sur leurs ruines; tantôt la lune se levant dans un ciel pur,

entre deux urnes cinéraires à moitié brisées, me montrait les pâles tombeaux.   Souvent aux rayons de cet astre qui alimente les rêveries, j'ai cru voir le Génie des souvenirs assis tout pensif à mes côtés.

« Mais je me lassai de fouiller dans les cercueils, où je ne remuais trop souvent qu'une poussière criminelle.

« Je voulus voir si les races vivantes m'offriraient plus de vertus ou moins de malheurs que les races évanouies.   Comme je me promenais un jour dans une grande cité, en passant derrière un palais, dans une cour retirée et déserte, j'aperçus une statue qui indiquait du doigt un lieu fameux par un sacrifice.[1] Je fus frappé du silence de ces lieux; le vent seul gémissait autour du marbre tragique.   Des manœuvres étaient couchés avec indifférence au pied de la statue ou taillaient des pierres en sifflant.   Je leur demandai ce que signifiait ce monument: les uns purent à peine me le dire, les autres ignoraient la catastrophe qu'il retraçait.   Rien ne m'a plus donné la juste mesure des événements de la vie et du peu que nous sommes. Que sont devenus ces personnages qui firent tant de bruit?   Le temps a fait un pas, et la face de la terre a été renouvelée.

« Je recherchai surtout dans mes voyages les artistes et ces hommes divins qui chantent les dieux sur la lyre et la félicité des peuples qui honorent les lois, la religion et les tombeaux.

« Ces chantres sont de race divine, ils possèdent le

[1] A Londres, derrière White-Hall, la statue de Charles II.

seul talent incontestable dont le ciel ait fait présent à
la terre.   Leur vie est à la fois naïve et sublime; ils
célèbrent les dieux avec une bouche d'or, et sont les
plus simples des hommes; ils causent comme des im-
5 mortels ou comme de petits enfants; ils expliquent les
lois de l'univers, et ne peuvent comprendre les affaires
les plus innocentes de la vie; ils ont des idées merveilleuses de la mort, et meurent sans s'en apercevoir,
comme des nouveau-nés.

10   « Sur les monts de la Calédonie, le dernier barde
qu'on ait ouï dans ces déserts me chanta les poèmes
dont un héros consolait jadis sa vieillesse.   Nous étions
assis sur quatre pierres rongées de mousse; un torrent
coulait à nos pieds; le chevreuil passait à quelque dis-
15 tance parmi les débris d'une tour, et le vent des mers
sifflait sur la bruyère de Cona.   Maintenant la religion
chrétienne, fille aussi des hautes montagnes, a placé
des croix sur les monuments des héros de Morven et
touché la harpe de David au bord du même torrent
20 où Ossian fit gémir la sienne.   Aussi pacifique que
les divinités de Selma étaient guerrières, elle garde des
troupeaux où Fingal livrait des combats, et elle a
répandu des anges de paix dans les nuages qu'habi-
taient des fantômes homicides.

25   « L'ancienne et riante Italie m'offrit la foule de ses
chefs-d'œuvre.   Avec quelle sainte et poétique horreur
j'errais dans ces vastes édifices consacrés par les arts
à la religion !   Quel labyrinthe de colonnes !   Quelle
succession d'arches et de voûtes !   Qu'ils sont beaux

ces bruits, qu'on entend autour des dômes, semblables
aux rumeurs des flots dans l'Océan, aux murmures
des vents dans les forêts ou à la voix de Dieu dans son
temple! L'architecte bâtit, pour ainsi dire, les idées
du poète, et les fait toucher aux sens.   5

« Cependant, qu'avais-je appris jusque alors avec
tant de fatigue? Rien de certain parmi les anciens,
rien de beau parmi les modernes. Le passé et le présent sont deux statues incomplètes: l'une a été retirée
toute mutilée du débris des âges, l'autre n'a pas en- 10
core reçu sa perfection de l'avenir.

« Mais peut-être, mes vieux amis, vous surtout,
habitants du désert, êtes-vous étonnées que, dans ce
récit de mes voyages, je ne vous aie pas une seule fois
entretenus des monuments de la nature?   15

« Un jour j'étais monté au sommet de l'Etna, volcan
qui brûle au milieu d'une île. Je vis le soleil se lever
dans l'immensité de l'horizon au-dessous de moi, la
Sicile resserrée comme un point à mes pieds et la mer
déroulée au loin dans les espaces. Dans cette vue per- 20
pendiculaire du tableau, les fleuves ne me semblaient
plus que des lignes géographiques tracées sur une
carte; mais, tandis que d'un côté mon œil apercevait
ces objets, de l'autre il plongeait dans le cratère de
l'Etna, dont je découvrais les entrailles brûlantes entre 25
les bouffées d'une noire vapeur.

« Un jeune homme plein de passions, assis sur la
bouche d'un volcan, et pleurant sur les mortels dont
à peine il voyait à ses pieds les demeures, n'est sans

doute, ô vieillards ! qu'un objet digne de votre pitié;
mais, quoi que vous puissiez penser de René, ce tableau
vous offre l'image de son caractère et de son existence:
c'est ainsi que toute ma vie j'ai eu devant les yeux une
5 création à la fois immense et imperceptible et un abîme
ouvert à mes côtés. »

En prononçant ces derniers mots, René se tut et
tomba subitement dans la rêverie. Le père Souël le
regardait avec étonnement, et le vieux Sachem aveugle,
10 qui n'entendait plus parler le jeune homme, ne savait
que penser de ce silence.

René avait les yeux attachés sur un groupe d'Indiens
qui passaient gaiement dans la plaine. Tout à coup sa
physionomie s'attendrit, des larmes coulent de ses
15 yeux; il s'écrie:

« Heureux sauvages ! oh ! que ne puis-je jouir de la
paix qui vous accompagne toujours !. Tandis qu'avec
si peu de fruit je parcourais tant de contrées, vous, assis
tranquillement sous vos chênes, vous laissiez couler les
20 jours sans les compter. Votre raison n'était que vos
besoins, et vous arriviez mieux que moi au résultat
de la sagesse, comme l'enfant, entre les jeux et le
sommeil. Si cette mélancolie qui s'engendre de l'excès du bonheur atteignait quelquefois votre âme, bien-
25 tôt vous sortiez de cette tristesse passagère et votre
regard levé vers le ciel cherchait avec attendrissement
ce je ne sais quoi inconnu qui prend pitié du pauvre
sauvage. »

Ici la voix de René expira de nouveau, et le jeune

homme pencha la tête sur sa poitrine. Chactas, étendant les bras dans l'ombre et prenant le bras de son
fils, lui cria d'un ton ému: « Mon fils ! mon cher fils ! »
A ces accents, le frère d'Amélie, revenant à lui et
rougissant de son trouble, pria son père de lui pardon-   5
ner.

Alors le vieux sauvage: « Mon jeune ami, les mouve-
« ments d'un cœur comme le tien ne sauraient être
« égaux; modère seulement ce caractère qui t'a déjà
« fait tant de mal. Si tu souffres plus qu'un autre des   10
« choses de la vie, il ne faut pas t'en étonner: une
« grande âme doit contenir plus de douleurs qu'une
« petite. Continue ton récit. Tu nous as fait par-
« courir une partie de l'Europe, fais-nous connaître ta
« patrie. Tu sais que j'ai vu la France et quels liens   15
« m'y ont attaché; j'aimerais à entendre parler de ce
« grand chef [1] qui n'est plus et dont j'ai visité la su-
« perbe cabane. Mon enfant, je ne vis plus que pour
« la mémoire. Un vieillard avec ses souvenirs res-
« semble au chêne décrépit de nos bois: ce chêne ne   20
« se décore plus de son propre feuillage, mais il couvre
« quelquefois sa nudité des plantes étrangères qui ont
« végété sur ses antiques rameaux. »

Le frère d'Amélie, calmé par ces paroles, reprit ainsi
l'histoire de son cœur: 25

« Hélas ! mon père, je ne pourrai t'entretenir de ce
grand siècle dont je n'ai vu que la fin dans mon enfance, et qui n'était plus lorsque je rentrai dans ma
patrie. Jamais un changement plus étonnant et plus

[1] Louis XIV.

soudain ne s'est opéré chez un peuple. De la hauteur
du génie, du respect pour la religion, de la gravité des
mœurs, tout était subitement descendu à la souplesse
de l'esprit, à l'impiété, à la corruption.

5 « C'était donc bien vainement que j'avais espéré
retrouver dans mon pays de quoi calmer cette inquié-
tude, cette ardeur de désir qui me suit partout. L'é-
tude du monde ne m'avait rien appris, et pourtant je
n'avais plus la douceur de l'ignorance.

10 « Ma sœur, par une conduite inexplicable, semblait
se plaire à augmenter mon ennui; elle avait quitté
Paris quelques jours avant mon arrivée. Je lui écrivis que je comptais l'aller rejoindre; elle se hâta de
me répondre pour me détourner de ce projet, sous
15 prétexte qu'elle était incertaine du lieu où l'appel-
leraient ses affaires. Quelles tristes réflexions ne fis-je
point alors sur l'amitié, que la présence attiédit, que
l'absence efface, qui ne résiste point au malheur, et
encore moins à la prospérité !

20 « Je me trouvai bientôt plus isolé dans ma patrie
que je ne l'avais été sur une terre étrangère. Je voulus
me jeter pendant quelque temps dans un monde qui
ne me disait rien et qui ne m'entendait pas. Mon âme,
qu'aucune passion n'avait encore usée, cherchait un
25 objet qui pût l'attacher; mais je m'aperçus que je
donnais plus que je ne recevais. Ce n'était ni un
langage élevé ni un sentiment profond qu'on deman-
dait de moi. Je n'étais occupé qu'a rapetisser ma
vie, pour la mettre au niveau de la société. Traité

partout d'esprit romanesque, honteux du rôle que je
jouais, dégoûté de plus en plus des choses et des
hommes, je pris le parti de me retirer dans un faubourg
pour y vivre totalement ignoré.

« Je trouvai d'abord assez de plaisir dans cette vie 5
obscure et indépendante. Inconnu, je me mêlais à la
foule: vaste désert d'hommes !

« Souvent assis dans une église peu fréquentée, je
passais des heures entières en méditation. Je voyais
de pauvres femmes venir se prosterner devant le 10
Très-Haut, ou des pécheurs s'agenouiller au tribunal
de la pénitence. Nul ne sortait de ces lieux sans un
visage plus serein, et les sourdes clameurs qu'on entendait au dehors semblaient être les flots des passions
et les orages du monde qui venaient expirer au pied du 15
temple du Seigneur. Grand Dieu, qui vis en secret
couler mes larmes dans ces retraites sacrées, tu sais
combien de fois je me jetai à tes pieds pour te supplier
de me décharger du poids de l'existence, ou de changer
en moi le vieil homme ! Ah ! qui n'a senti quelquefois 20
le besoin de se régénérer, de se rajeunir aux eaux du
torrent, de retremper son âme à la fontaine de vie !
Qui ne se trouve quelquefois accablé du fardeau de sa
propre corruption et incapable de rien faire de grand,
de noble, de juste ! 25

« Quand le soir était venu, reprenant le chemin de
ma retraite, je m'arrêtais sur les ponts pour voir se
coucher le soleil. L'astre, enflammant les vapeurs de
la cité, semblait osciller lentement dans un fluide d'or,

comme le pendule de l'horloge des siècles. Je me re-
tirais ensuite avec la nuit, à travers un labyrinthe de
rues solitaires. En regardant les lumières qui brillaient dans la demeure des hommes, je me transportais
5 par la pensée au milieu des scènes de douleur et de
joie qu'elles éclairaient, et je songeais que sous tant
de toits habités je n'avais pas un ami. Au milieu de
mes réflexions, l'heure venait frapper à coups mesurés
dans la tour de la cathédrale gothique; elle allait se
10 répétant sur tous les tons, et à toutes les distances,
d'église en église. Hélas! chaque heure dans la société
ouvre un tombeau et fait couler des larmes.

« Cette vie, qui m'avait d'abord enchanté, ne tarda
pas à me devenir insupportable. Je me fatiguai de la
15 répétition des mêmes scènes et des mêmes idées. Je
me mis à sonder mon cœur, à me demander ce que je
désirais. Je ne le savais pas, mais je crus tout à coup
que les bois me seraient délicieux. Me voilà soudain
résolu d'achever dans un exil champêtre une carrière
20 à peine commencée et dans laquelle j'avais déjà dé-
voré des siècles.

«J'embrassai ce projet avec l'ardeur que je mets à
tous mes desseins; je partis précipitamment pour
m'ensevelir dans une chaumière, comme j'étais parti
25 autrefois pour faire le tour du monde.

« On m'accuse d'avoir des goûts inconstants, de ne
pouvoir jouir longtemps de la même chimère, d'être
la proie d'une imagination qui se hâte d'arriver au
fond de mes plaisirs, comme si elle était accablée de

leur durée; on m'accuse de passer toujours le but que
je puis atteindre: hélas! je cherche seulement un bien
inconnu dont l'instinct me poursuit. Est-ce ma faute
si je trouve partout des bornes, si ce qui est fini n'a
pour moi aucune valeur? Cependant je sens que
j'aime la monotonie des sentiments de la vie, et si
j'avais encore la folie de croire au bonheur, je le chercherais dans l'habitude.

« La solitude absolue, le spectacle de la nature, me
plongèrent bientôt dans un état presque impossible à
décrire. Sans parents, sans amis, pour ainsi dire, sur
la terre, n'ayant point encore aimé, j'étais accablé
d'une surabondance de vie. Quelquefois je rougissais
subitement, et je sentais couler dans mon cœur comme
des ruisseaux d'une lave ardente; quelquefois je pous-
sais des cris involontaires, et la nuit était également
troublée de mes songes et de mes veilles. Il me man-
quait quelque chose pour remplir l'abîme de mon
existence: je descendais dans la vallée, je m'élevais
sur la montagne, appelant de toute la force de mes
désirs l'idéal objet d'une flamme future; je l'embrassais dans les vents; je croyais l'entendre dans les
gémissements du fleuve; tout était ce fantôme imaginaire, et les astres dans les cieux, et le principe
même de la vie dans l'univers.

« Toutefois cet état de calme et de trouble, d'in-
digence et de richesse, n'était pas sans quelques
charmes: un jour je m'étais amusé à effeuiller une
branche de saule sur un ruisseau et à attacher une

idée à chaque feuille que le courant entraînait. Un
roi qui craint de perdre sa couronne par une révolution subite ne ressent pas des angoisses plus vives que
les miennes à chaque accident qui menaçait les dé-
5 bris de mon rameau. O faiblesse des mortels! ô enfance du cœur humain qui ne vieillit jamais! voilà
donc à quel degré de puérilité notre superbe raison
peut descendre! Et encore est-il vrai que bien des
hommes attachent leur destinée à des choses d'aussi
10 peu de valeur que mes feuilles de saule.

« Mais comment exprimer cette foule de sensations
fugitives que j'éprouvais dans mes promenades? Les
sons que rendent les passions dans le vide d'un cœur
solitaire ressemblent au murmure que les vents et les
15 eaux font entendre dans le silence d'un désert: on en
jouit, mais on ne peut les peindre.

« L'automne me surprit au milieu de ces incerti-
tudes: j'entrai avec ravissement dans les mois des
tempêtes. Tantôt j'aurais voulu être un de ces guer-
20 riers errant au milieu des vents, des nuages et des
fantômes, tantôt j'enviais jusqu'au sort du pâtre
que je voyais réchauffer ses mains à l'humble feu de
broussailles qu'il avait allumé au coin d'un bois.
J'écoutais ses chants mélancoliques, qui me rappelaient
25 que dans tout pays le chant naturel de l'homme est
triste, lors même qu'il exprime le bonheur. Notre
cœur est un instrument incomplet, une lyre où il
manque des cordes et où nous sommes forcés de rendre
les accents de la joie sur le ton consacré aux soupirs.

« Le jour, je m'égarais sur de grandes bruyères ter-
minées par des forêts. Qu'il fallait peu de chose à ma
rêverie ! une feuille séchée que le vent chassait devant
moi, une cabane dont la fumée s'élevait dans la cime
dépouillée des arbres, la mousse qui tremblait au 5
souffle du nord sur le tronc d'un chêne, une roche
écartée, un étang désert où le jonc flétri murmurait !
Le clocher solitaire s'élevant au loin dans la vallée a
souvent attiré mes regards; souvent j'ai suivi des
yeux les oiseaux de passage qui volaient au-dessus de 10
ma tête. Je me figurais les bords ignorés, les climats
lointains où ils se rendent; j'aurais voulu être sur leurs
ailes. Un secret instinct me tourmentait; je sentais
que je n'étais moi-même qu'un voyageur, mais une
voix du ciel semblait me dire: « Homme, la saison de 15
« ta migration n'est pas encore venue; attends que le
« vent de la mort se lève, alors tu déploieras ton vol
« vers ces régions inconnues que ton cœur demande. »

« Levez-vous vite, orages désirés qui devez emporter
René dans les espaces d'une autre vie ! Ainsi disant, 20
je marchais à grands pas, le visage enflammé, le vent
sifflant dans ma chevelure, ne sentant ni pluie, ni
frimas, enchanté, tourmenté et comme possédé par
le démon de mon cœur.

« La nuit, lorsque l'aquilon ébranlait ma chaumière, 25
que les pluies tombaient en torrent sur mon toit, qu'à
travers ma fenêtre je voyais la lune sillonner les nuages
amoncelés, comme un pâle vaisseau qui laboure les
vagues, il me semblait que la vie redoublait au fond

de mon cœur, que j'aurais la puissance de créer des
mondes. Ah! si j'avais pu faire partager à une autre
les transports que j'éprouvais! O Dieu! si tu m'avais
donné une femme selon mes désirs; si, comme à notre
5 premier père, tu m'eusses amené par la main une Ève
tirée de moi-même... Beauté céleste! je me serais
prosterné devant toi, puis, te prenant dans mes bras,
j'aurais prié l'Eternel de te donner le reste de ma vie!

« Hélas! j'étais seul, seul sur la terre! Une langueur
10 secrète s'emparait de mon corps. Ce dégoût de la
vie que j'avais ressenti dès mon enfance revenait avec
une force nouvelle. Bientôt mon cœur ne fournit plus
d'aliment à ma pensée, et je ne m'apercevais de
mon existence que par un profond sentiment d'ennui.

15 « Je luttai quelque temps contre mon mal, mais avec
indifférence et sans avoir la ferme résolution de le
vaincre. Enfin, ne pouvant trouver de remède à
cette étrange blessure de mon cœur, qui n'était nulle
part et qui était partout, je résolus de quitter la vie.

20 « Prêtre du Très-Haut, qui m'entendez, pardonnez
à un malheureux que le ciel avait presque privé de
la raison. J'étais plein de religion, et je raisonnais en
impie; mon cœur aimait Dieu, et mon esprit le méconnaissait; ma conduite, mes discours, mes senti-
25 ments, mes pensées, n'étaient que contradiction, ténèbres, mensonges. Mais l'homme sait-il bien toujours ce qu'il veut, est-il toujours sûr de ce qu'il
pense?

« Tout m'échappait à la fois, l'amitié, le monde, la

From the statue by Aimé Millet

CHATEAUBRIAND

retraite. J'avais essayé de tout, et tout m'avait été
fatal. Repoussé par la société, abandonné d'Amélie
quand la solitude vint à me manquer, que me
restait-il? C'était la dernière planche sur laquelle
j'avais espéré me sauver, et je la sentais encore s'en- 5
foncer dans l'abîme !

« Décidé que j'étais à me débarrasser du poids de la
vie, je résolus de mettre toute ma raison dans cet acte
insensé. Rien ne me pressait; je ne fixai point le
moment du départ, afin de savourer à longs traits 10
les derniers moments de l'existence et de recueillir
toutes mes forces, à l'exemple d'un ancien, pour sentir
mon âme s'échapper.

« Cependant je crus nécessaire de prendre des ar-
rangements concernant ma fortune, et je fus obligé 15
d'écrire à Amélie. Il m'échappa quelques plaintes sur
son oubli, et je laissai sans doute percer l'attendrissement qui surmontait peu à peu mon cœur. Je m'ima-
ginais pourtant avoir bien dissimulé mon secret; mais
ma sœur, accoutumée à lire dans les replis de mon 20
âme, le devina, sans peine. Elle fut alarmée du ton de
contrainte qui régnait dans ma lettre et de mes questions sur des affaires dont je ne m'étais jamais occupé.
Au lieu de me répondre, elle me vint tout à coup sur-
prendre. 25

« Pour bien sentir quelle dut être dans la suite
l'amertume de ma douleur et quels furent mes premiers transports en revoyant Amélie, il faut vous
figurer que c'était la seule personne au monde que

j'eusse aimée, que tous mes sentiments se venaient
confondre en elle avec la douceur des souvenirs de
mon enfance. Je reçus donc Amélie dans une sorte
d'extase de cœur. Il y avait si longtemps que je
5 n'avais trouvé quelqu'un qui m'entendît et devant qui
je pusse ouvrir mon âme !

« Amélie se jetant dans mes bras me dit: « Ingrat,
« tu veux mourir, et ta sœur existe ! Tu soupçonnes
« son cœur ! Ne t'explique point, ne t'excuse point, je
10 « sais tout; j'ai tout compris, comme si j'avais été
« avec toi. Est-ce moi que l'on trompe, moi qui ai
« vu naître tes premiers sentiments ? Voilà ton mal-
« heureux caractère, tes dégoûts, tes injustices. Jure,
« tandis que je te presse sur mon cœur, jure que c'est
15 « la dernière fois que tu te livreras à tes folies; fais
« le serment de ne jamais attenter à tes jours. »

« En prononçant ces mots Amélie me regardait avec
compassion et tendresse, et couvrait mon front de ses
baisers; c'était presque une mère, c'était quelque chose
20 de plus tendre. Hélas ! mon cœur se rouvrit à toutes
les joies; comme un enfant je ne demandais qu'à être
consolé; je cédai à l'empire d'Amélie: elle exigea un
serment solennel; je le fis sans hésiter, ne soupçonnant
même pas que désormais je pusse être malheureux.

25 « Nous fûmes plus d'un mois à nous accoutumer à
l'enchantement d'être ensemble. Quand le matin,
au lieu de me trouver seul, j'entendais la voix de ma
sœur, j'éprouvais un tressaillement de joie et de bonheur. Amélie avait reçu de la nature quelque chose de

divin; son âme avait les mêmes grâces innocentes que
son corps; la douceur de ses sentiments était infinie;
il n'y avait rien que de suave et d'un peu rêveur dans
son esprit; on eût dit que son cœur, sa pensée et sa
voix soupiraient comme de concert; elle tenait de la 5
femme la timidité et l'amour, et de l'ange la pureté et
la mélodie.

« Le moment était venu où j'allais expier toutes mes
inconséquences. Dans mon délire, j'avais été jusqu'à
désirer d'éprouver un malheur, pour avoir du moins un 10
objet réel de souffrance: épouvantable souhait que
Dieu, dans sa colère, a trop exaucé !

« Que vais-je vous révéler, ô mes amis ! voyez les
pleurs qui coulent de mes yeux. Puis-je même . . . Il
y a quelques jours, rien n'aurait pu m'arracher ce 15
secret . . . A présent, tout est fini !

« Toutefois, ô vieillards, que cette histoire soit à
jamais ensevelie dans le silence: souvenez-vous qu'elle
n'a été racontée que sous l'arbre du désert.

« L'hiver finissait lorsque je m'aperçus qu'Amélie 20
perdait le repos et la santé, qu'elle commençait à me
rendre. Elle maigrissait; ses yeux se creusaient, sa
démarche était languissante et sa voix troublée. Un
jour je la surpris tout en larmes au pied d'un crucifix.
Le monde, la solitude, mon absence, ma présence, la 25
nuit, le jour, tout l'alarmait. D'involontaires soupirs
venaient expirer sur ses lèvres; tantôt elle soutenait
sans se fatiguer une longue course; tantôt elle se
traînait à peine: elle prenait et laissait son ouvrage,

ouvrait un livre sans pouvoir lire, commençait une
phrase qu'elle n'achevait pas, fondait tout à coup en
pleurs, et se retirait pour prier.

« En vain je cherchais à découvrir son secret.
5 Quand je l'interrogeais en la pressant dans mes bras,
elle me répondait avec un sourire qu'elle était comme
moi, qu'elle ne savait pas ce qu'elle avait.

« Trois mois se passèrent de la sorte, et son état
devenait pire chaque jour. Une correspondance mys-
10 térieuse me semblait être la cause de ses larmes, car
elle paraissait, ou plus tranquille, ou plus émue, selon
les lettres qu'elle recevait. Enfin, un matin, l'heure à
laquelle nous déjeunions ensemble étant passée, je
monte à son appartement; je frappe: on ne me répond
15 point; j'entr'ouvre la porte: il n'y avait personne
dans la chambre. J'aperçois sur la cheminée un
paquet à mon adresse. Je le saisis en tremblant, je
l'ouvre, et je lis cette lettre, que je conserve pour
m'ôter à l'avenir tout mouvement de joie.

A RENÉ

20   « Le ciel m'est témoin, mon frère, que je donnerais
« mille fois ma vie pour vous épargner un moment de
« peine; mais, infortunée que je suis, je ne puis rien
« pour votre bonheur. Vous me pardonnerez donc de
« m'être dérobée de chez vous comme une coupable;
25 « je n'aurais jamais pu résister à vos prières, et cepen-
« dant il fallait partir... Mon Dieu, ayez pitié de
« moi !

« Vous savez, René, que j'ai toujours eu du penchant
« pour la vie religieuse; il est temps que je mette à
« profit les avertissements du ciel.   Pourquoi ai-je
« attendu si tard!   Dieu m'en punit.   J'étais restée
« pour vous dans le monde... Pardonnez.   Je suis
« toute troublée par le chagrin que j'ai de vous quitter.

« C'est à présent, mon cher frère, que je sens bien
« la nécessité de ces asiles contre lesquels je vous ai
« vu souvent vous élever.   Il est des malheurs qui
« nous séparent pour toujours des hommes: que
« deviendraient alors de pauvres infortunées!... Je
« suis persuadée que vous-même, mon frère, vous trou-
« veriez le repos dans ces retraites de la religion: la
« terre n'offre rien qui soit digne de vous.

« Je ne vous rappellerai point votre serment: je
« connais la fidélité de votre parole.   Vous l'avez juré,
« vous vivrez pour moi.   Y a-t-il rien de plus misérable
« que de songer sans cesse à quitter la vie?   Pour un
« homme de votre caractère, il est aisé de mourir!
« Croyez-en votre sœur, il est plus difficile de vivre.

« Mais, mon frère, sortez au plus vite de la solitude,
« qui ne vous est pas bonne; cherchez quelque occu-
« pation.   Je sais que vous riez amèrement de cette
« nécessité où l'on est en France de *prendre un état*.
« Ne méprisez pas tant l'expérience et la sagesse de
« nos pères.   Il vaut mieux, mon cher René, ressembler
« un peu plus au commun des hommes et avoir un
« peu moins de malheur.

« Peut-être trouveriez-vous dans le mariage un

« soulagement à vos ennuis. Une femme, des enfants
« occuperaient vos jours. Et quelle est la femme qui
« ne chercherait pas à vous rendre heureux ! L'ardeur
« de votre âme, la beauté de votre génie, votre air
5 « noble et passionné, ce regard fier et tendre, tout
« vous assurerait de son amour et de sa fidélité. Ah !
« avec quelles délices ne te presserait-elle pas dans ses
« bras et sur son cœur ! Comme tous ses regards,
« toutes ses pensées, seraient attachés sur toi pour
10 « prévenir tes moindres peines ! Elle serait tout amour,
« tout innocence devant toi: tu croirais retrouver une
« sœur.

« Je pars pour le couvent de ... Ce monastère
« bâti au bord de la mer, convient à la situation de
15 « mon âme. La nuit, du fond de ma cellule, j'entendrai
« le murmure des flots qui baignent les murs du cou-
« vent; je songerai à ces promenades que je faisais
« avec vous au milieu des bois, alors que nous croyions
« retrouver le bruit des mers dans la cime agitée des
20 « pins. Aimable compagnon de mon enfance, est-ce
« que je ne vous verrai plus ? A peine plus âgée que
« vous, je vous balançais dans votre berceau; souvent
« nous avons dormi ensemble. Ah ! si un même tom-
« beau nous réunissait un jour ! Mais non, je dois dor-
25 « mir seule sous les marbres glacés de ce sanctuaire où
« reposent pour jamais ces filles qui n'ont point aimé.

« Je ne sais si vous pourrez lire ces lignes à demi effa-
« cées par mes larmes. Après tout, mon ami, un peu
« plus tôt, un peu plus tard, n'aurait-il pas fallu nous

« quitter ? Qu'ai-je besoin de vous entretenir de l'incer-
« titude et du peu de valeur de la vie ? Vous vous rap-
« pelez le jeune M . . . qui fit naufrage à l'Ile-de-France.
« Quand vous reçûtes sa dernière lettre, quelques mois
« après sa mort, sa dépouille terrestre n'existait même 5
« plus, et l'instant où vous commenciez son deuil en
« Europe était celui où on le finissait aux Indes.
« Qu'est-ce donc que l'homme, dont la mémoire périt
« si vite ? Une partie de ses amis ne peut apprendre sa
« mort que l'autre n'en soit déjà consolée ! Quoi, cher 10
« et trop cher René, mon souvenir s'effacera-t-il si
« promptement de ton cœur ? O mon frère ! si je
« m'arrache à vous dans le temps, c'est pour n'être
« pas séparée de vous dans l'éternité.

« AMÉLIE. »   15

P.S. « Je joins ici l'acte de la donation de mes biens;
« j'espère que vous ne refuserez pas cette marque de
« mon amitié. »

« La foudre qui fût tombée à mes pieds ne m'eût pas
causé plus d'effroi que cette lettre. Quel secret Amélie 20
me cachait-elle ? Qui la forçait si subitement à embrasser la vie religieuse ? Ne m'avait-elle rattaché à
l'existence par le charme de l'amitié que pour me
délaisser tout à coup ? Oh ! pourquoi était-elle venue
me détourner de mon dessein ! Un mouvement de 25
pitié l'avait rappelée auprès de moi; mais bientôt,
fatiguée d'un pénible devoir, elle se hâte de quitter un

malheureux qui n'avait qu'elle sur la terre.   On croit
avoir tout fait quand on a empêché un homme de
mourir ! Telles étaient mes plaintes.   Puis, faisant
un retour sur moi-même: « Ingrate Amélie, disais-je,
5 si tu avais été à ma place, si comme moi tu avais été
perdue dans le vide de tes jours, ah ! tu n'aurais pas été
abandonnée de ton frère ! »

« Cependant, quand je relisais la lettre, j'y trouvais
je na sais quoi de si triste et de si tendre, que tout mon
10 cœur se fondait.   Tout à coup il me vint une idée qui
me donna quelque espérance: je m'imaginai qu'Amélie
avait peut-être conçu une passion pour un homme
qu'elle n'osait avouer.   Ce soupçon sembla m'expliquer
sa mélancolie, sa correspondance mystérieuse et le
15 ton passionné qui respirait dans sa lettre.   Je lui
écrivis aussitôt pour la supplier de m'ouvrir son cœur.

« Elle ne tarda pas à me répondre, mais sans me
découvrir son secret: elle me mandait seulement
qu'elle avait obtenu les dispenses du noviciat et qu'elle
20 allait prononcer ses vœux.

« Je fus révolté de l'obstination d'Amélie, du mystère de ses paroles et de son peu de confiance en mon
amitié.

« Après avoir hésité un moment sur le parti que
25 j'avais à prendre, je résolus d'aller à B . . . pour faire
un dernier effort auprès de ma sœur.   La terre où
j'avais été élevé se trouvait sur la route.   Quand j'aperçus les bois où j'avais passé les seuls moments heureux
de ma vie, je ne pus retenir mes larmes, et il me fut

impossible de résister à la tentation de leur dire un
dernier adieu.

« Mon frère aîné avait vendu l'héritage paternel, et
le nouveau propriétaire ne l'habitait pas. J'arrivai au
château par la longue avenue de sapins; je traversai
à pied les cours désertes; je m'arrêtai à regarder les
fenêtres fermées ou demi-brisées, le chardon qui croissait au pied des murs, les feuilles qui jonchaient le
seuil des portes, et ce perron solitaire où j'avais vu si
souvent mon père et ses fidèles serviteurs. Les
marches étaient déjà couvertes de mousses; le violier
jaune croissait entre leurs pierres déjointes et tremblantes. Un gardien inconnu m'ouvrit brusquement
les portes. J'hésitais à franchir le seuil; cet homme
s'écria: « Eh bien! allez-vous faire comme cette
« étrangère qui vint ici il y a quelques jours ? Quand
« ce fut pour entrer, elle s'évanouit, et je fus obligé de
« la reporter à sa voiture. » Il me fut aisé de reconnaître l'étrangère qui, comme moi, était venue chercher
dans ces lieux des pleurs et des souvenirs !

« Couvrant un moment mes yeux de mon mouchoir,
j'entrai sous le toit de mes ancêtres. Je parcourus les
appartements sonores où l'on n'entendait que le bruit
de mes pas. Les chambres étaient à peine éclairées par
la faible lumière qui pénétrait entre les volets fermés;
je visitai celle où ma mère avait perdu la vie en me
mettant au monde, celle où se retirait mon père, celle
où j'avais dormi dans mon berceau, celle enfin où
l'amitié avait reçu mes premiers vœux dans le sein

d'une sœur. Partout les salles étaient détendues, et
l'araignée filait sa toile dans les couches abandonnées.
Je sortis précipitamment de ces lieux, je m'en éloignai
à grands pas, sans oser tourner la tête. Qu'ils sont
5 doux, mais qu'ils sont rapides, les moments que les
frères et les sœurs passent dans leurs jeunes années,
réunis sous l'aile de leurs vieux parents! La famille
de l'homme n'est que d'un jour; le souffle de Dieu la
disperse comme une fumée. A peine le fils connaît-il
10 le père, le père le fils, le frère la sœur, la sœur le frère!
Le chêne voit germer ses glands autour de lui: il n'en
est pas ainsi des enfants des hommes!

    « En arrivant à B . . . je me fis conduire au couvent;
je demandai à parler à ma sœur. On me dit qu'elle
15 ne recevait personne. Je lui écrivis: elle me répondit
que, sur le point de se consacrer à Dieu, il ne lui était
pas permis de donner une pensée au monde; que si
je l'aimais, j'éviterais de l'accabler de ma douleur.
Elle ajoutait: « Cependant, si votre projet est de
20 « paraître à l'autel le jour de ma profession, daignez
« m'y servir de père: ce rôle est le seul digne de votre
« courage, le seul qui convienne à notre amitié et à
« mon repos. »

    « Cette froide fermeté qu'on opposait à l'ardeur de
25 mon amitié me jeta dans de violents transports. Tantôt j'étais près de retourner sur mes pas; tantôt je
voulais rester, uniquement pour troubler le sacrifice.
L'enfer me suscitait jusqu'à la pensée de me poignarder
dans l'église et de mêler mes derniers soupirs aux

vœux qui m'arrachaient ma sœur. La supérieure du
couvent me fit prévenir qu'on avait préparé un banc
dans le sanctuaire, et elle m'invitait à me rendre à la
cérémonie, qui devait avoir lieu dès le lendemain.

« Au lever de l'aube, j'entendis le premier son des 5
cloches... Vers dix heures, dans une sorte d'agonie,
je me traînai au monastère. Rien ne peut plus être
tragique quand on a assisté à un pareil spectacle;
rien ne peut plus être douloureux quand on y a sur-
vécu.   10

« Un peuple immense remplissait l'église. On me
conduit au banc du sanctuaire; je me précipite à
genoux sans presque savoir où j'étais ni à quoi j'étais
résolu. Déjà le prêtre attendait à l'autel; tout à
coup la grille mystérieuse s'ouvre, et Amélie s'avance, 15
parée de toutes les pompes du monde. Elle était si
belle, il y avait sur son visage quelque chose de si
divin, qu'elle excita un mouvement de surprise et
d'admiration. Vaincu par la glorieuse douleur de la
sainte, abattu par les grandeurs de la religion, tous mes 20
projets de violence s'évanouirent; ma force m'aban-
donna; je me sentis lié par une main toute-puissante,
et, au lieu de blasphèmes et de menaces, je ne trouvai
dans mon cœur que de profondes adorations et les
gémissements de l'humilité.   25

« Amélie se place sous un dais. Le sacrifice commence à la lueur des flambeaux, au milieu des fleurs
et des parfums, qui devaient rendre l'holocauste
agréable. A l'offertoire, le prêtre se dépouilla de ses

ornements, ne conserva qu'une tunique de lin, monta
en chaire, et, dans un discours simple et pathétique
peignit le bonheur de la vierge qui se consacre au
Seigneur. Quand il prononça ces mots: « Elle a paru
5 comme l'encens qui se consume dans le feu, » un grand
calme et des odeurs célestes semblèrent se répandre
dans l'auditoire; on se sentit comme à l'abri sous les
ailes de la colombe mystique, et l'on eût cru voir les
anges descendre sur l'autel et remonter vers les cieux
10 avec des parfums et des couronnes.

« Le prêtre achève son discours, reprend ses vêtements, continue le sacrifice. Amélie, soutenue de
deux jeunes religieuses, se met à genoux sur la dernière marche de l'autel. On vient alors me chercher
15 pour remplir les fonctions paternelles. Au bruit de
mes pas chancelants dans le sanctuaire, Amélie est
prête à défaillir. On me place à côté du prêtre pour
lui présenter les ciseaux. En ce moment je sens re-
naître mes transports; ma fureur va éclater, quand
20 Amélie, rappelant son courage, me lance un regard
où il y a tant de reproche et de douleur, que j'en suis
atterré. La religion triomphe. Ma sœur profite de
mon trouble; elle avance hardiment la tête. Sa superbe chevelure tombe de toutes parts sous le fer
25 sacré; une longue robe d'étamine remplace pour elle
les ornements du siècle sans la rendre moins touchante;
les ennuis de son front se cachent sous un bandeau
de lin, et le voile mystérieux, double symbole de la
virginité et de la religion, accompagne sa tête dé-

pouillée. Jamais elle n'avait paru si belle. L'œil de la pénitente était attaché sur la poussière du monde, et son âme était dans le ciel.

« Cependant Amélie n'avait point encore prononcé ses vœux, et pour mourir au monde il fallait 5 qu'elle passât à travers le tombeau. Ma sœur se couche sur le marbre; on étend sur elle un drap mortuaire; quatre flambeaux en marquent les quatre coins. Le prêtre, l'étole au cou, le livre à la main, commence l'Office des morts; de jeunes vierges le con- 10 tinuent. O joies de la religion, que vous êtes grandes, mais que vous êtes terribles! On m'avait contraint de me placer à genoux près de ce lugubre appareil. Tout à coup un murmure confus sort de dessous le voile sépulcral; je m'incline, et ces paroles épouvan- 15 tables (que je fus seul à entendre) viennent frapper mon oreille: « Dieu de miséricorde, fais que je ne me « relève jamais de cette couche funèbre, et comble de « tes biens un frère qui n'a point partagé ma criminelle « passion! » 20

« A ces mots échappés du cercueil, l'affreuse vérité m'éclaire, ma raison s'égare; je me laisse tomber sur le linceul de la mort, je presse ma sœur dans mes bras; je m'écrie: « Chaste épouse de Jésus-Christ, reçois « mes derniers embrassements à travers les glaces du 25 « trépas et les profondeurs de l'éternité, qui te sé- « parent déjà de ton frère! »

« Ce mouvement, ce cri, ces larmes, troublent la cérémonie: le prêtre s'interrompt, les religieuses

ferment la grille, la foule s'agite et se presse vers l'autel, on m'emporte sans connaissance. Que je sus peu
de gré à ceux qui me rappelèrent au jour! J'appris,
en rouvrant les yeux, que le sacrifice était consommé
et que ma sœur avait été saisie d'une fièvre ardente.
Elle me faisait prier de ne plus chercher à la voir. O
misère de ma vie! une sœur craindre de parler à un
frère, et un frère craindre de faire entendre sa voix à
une sœur! Je sortis du monastère comme de ce lieu
d'expiation où des flammes nous préparent pour la
vie céleste, où l'on a tout perdu comme aux enfers,
hors l'espérance.

« On peut trouver des forces dans son âme contre
un malheur personnel, mais devenir la cause involontaire du malheur d'un autre, cela est tout à fait insupportable. Eclairé sur les maux de ma sœur, je me
figurais ce qu'elle avait dû souffrir. Alors s'expli-
quèrent pour moi plusieurs choses que je n'avais
pu comprendre: ce mélange de joie et de tristesse
qu'Amélie avait fait paraître au moment de mon
départ pour mes voyages, le soin qu'elle prit de m'évi-
ter à mon retour, et cependant cette faiblesse qui
l'empêcha si longtemps d'entrer dans un monastère:
sans doute la fille malheureuse s'était flattée de guérir!
Ses projets de retraite, la dispense du noviciat, la
disposition de ses biens en ma faveur, avaient apparem-
ment produit cette correspondance secrète qui servit
à me tromper.

« O mes amis! je sus donc ce que c'était que de verser

des larmes pour un mal qui n'était point imaginaire !
Mes passions, si longtemps indéterminées, se précipi-
tèrent sur cette première proie avec fureur. Je trouvai même une sorte de satisfaction inattendue dans
la plénitude de mon chagrin, et je m'aperçus, avec un 5
secret mouvement de joie, que la douleur n'est pas une
affection qu'on épuise comme le plaisir.

J'avais voulu quitter la terre avant l'ordre du Tout-
Puissant, c'était un grand crime: Dieu m'avait envoyé Amélie à la fois pour me sauver et pour me punir. 10
Ainsi, toute pensée coupable, toute action criminelle
entraîne après elle des désordres et des malheurs.
Amélie me priait de vivre, et je lui devais bien de ne
pas aggraver ses maux. D'ailleurs (chose étrange !)
je n'avais plus envie de mourir depuis que j'étais 15
réellement malheureux. Mon chagrin était devenu
une occupation qui remplissait tous mes moments:
tant mon cœur est naturellement pétri d'ennui et de
misère !

« Je pris donc subitement une autre résolution; je 20
me déterminai à quitter l'Europe et à passer en
Amérique.

« On équipait dans ce moment même, au port de
B . . . , une flotte pour la Louisiane; je m'arrangeai
avec un des capitaines de vaisseau, je fis savoir mon 25
projet à Amélie, et je m'occupai de mon départ.

« Ma sœur avait touché aux portes de la mort;
mais Dieu, qui lui destinait la première palme des
vierges, ne voulut pas la rappeler si vite à lui; son

épreuve ici-bas fut prolongée. Descendue une seconde
fois dans la pénible carrière de la vie, l'héroïne, cour-
bée sous la croix, s'avança courageusement à l'encon-
tre des douleurs, ne voyant plus que le triomphe dans
5 le combat, et dans l'excès des souffrances l'excès de
la gloire.

« La vente du peu de bien qui me restait, et que je
cédai à mon frère, les longs préparatifs d'un convoi,
les vents contraires, me retinrent longtemps dans le
10 port. J'allais chaque matin m'informer des nouvelles
d'Amélie, et je revenais toujours avec de nouveaux
motifs d'admiration et de larmes.

« J'errais sans cesse autour du monastère, bâti au
bord de la mer. J'apercevais souvent, à une petite
15 fenêtre grillée qui donnait sur une plage déserte, une
religieuse assise dans une attitude pensive; elle rêvait
à l'aspect de l'Océan où apparaissait quelque vaisseau
cinglant aux extrémités de la terre. Plusieurs fois,
à la clarté de la lune, j'ai revu la même religieuse aux
20 barreaux de la même fenêtre: elle contemplait la
mer, éclairée par l'astre de la nuit, et semblait prêter
l'oreille au bruit des vagues qui se brisaient tristement
sur des grèves solitaires.

« Je crois encore entendre la cloche qui, pendant la
25 nuit, appelait les religieuses aux veilles et aux prières.
Tandis qu'elle tintait avec lenteur et que les vierges
s'avançaient en silence à l'autel du Tout-Puissant, je
courais au monastère: là, seul aux pieds des murs,
j'écoutais dans une sainte extase les derniers sons des

cantiques, qui se mêlaient sous les voûtes du temple au faible bruissement des flots.

« Je ne sais comment toutes ces choses, qui auraient dû nourrir mes peines, en émoussaient au contraire l'aiguillon. Mes larmes avaient moins d'amertume, 5 lorsque je les répandais sur les rochers et parmi les vents. Mon chagrin même, par sa nature extraordinaire, portait avec lui quelque remède: on jouit de ce qui n'est pas commun, même quand cette chose est un malheur. J'en conçus presque l'espérance que ma 10 sœur deviendrait à son tour moins misérable.

« Une lettre que je reçus d'elle avant mon départ sembla me confirmer dans ces idées. Amélie se plaignait tendrement de ma douleur et m'assurait que le temps diminuait la sienne. « Je ne désespère 15 « pas de mon bonheur, me disait-elle. L'excès même « du sacrifice, à présent que le sacrifice est consommé, « sert à me rendre quelque paix. La simplicité de « mes compagnes, la pureté de leurs vœux, la régularité « de leur vie, tout répand du baume sur mes jours. 20 « Quand j'entends gronder les orages et que l'oiseau « de mer vient battre des ailes à ma fenêtre, moi, « pauvre colombe du ciel, je songe au bonheur que j'ai « eu de trouver un abri contre la tempête. C'est ici « la sainte montagne, le sommet élevé d'où l'on entend 25 « les derniers bruits de la terre et les premiers concerts « du ciel; c'est ici que la religion trompe doucement « une âme sensible: aux plus violentes amours elle « substitue une sorte de chasteté brûlante où l'amante

« et la vierge sont unies; elle épure les soupirs, elle
« change en une flamme incorruptible une flamme
« périssable, elle mêle divinement son calme et son
« innocence à ce reste de trouble et de volupté d'un
5 « cœur qui cherche à se reposer et d'une vie qui se
« retire. »

   « Je ne sais ce que le ciel me réserve, et s'il a voulu
m'avertir que les orages accompagneraient partout
mes pas.   L'ordre était donné pour le départ de la
10 flotte; déjà plusieurs vaisseaux avaient appareillé au
baiser du soleil; je m'étais arrangé pour passer la
dernière nuit à terre, afin d'écrire ma lettre d'adieux à
Amélie.   Vers minuit, tandis que je m'occupe de ce
soin et que je mouille mon papier de mes larmes, le
15 bruit des vents vient frapper mon oreille.   J'écoute,
et au milieu de la tempête je distingue les coups de
canon d'alarme mêlés au glas de la cloche monastique.
Je vole sur le rivage où tout était désert et où l'on n'entendait que le rugissement des flots.   Je m'assieds sur un
20 rocher.   D'un côté s'étendent les vagues étincelantes,
de l'autre les murs sombres du monastère se perdent
confusément dans les cieux.   Une petite lumière paraissait à la fenêtre grillée.   Était-ce toi, ô mon Amélie!
qui prosternée au pied du crucifix, priais le Dieu des
25 orages d'épargner ton malheureux frère?   La tempête
sur les flots, le calme dans ta retraite; des hommes
brisés sur des écueils, au pied de l'asile que rien ne
peut troubler; l'infini de l'autre côté du mur d'une
cellule: les fanaux agités des vaisseaux, le phare im-

mobile du couvent; l'incertitude des destinées du
navigateur, la vestale connaissant dans un seul jour
tous les jours futurs de sa vie; d'une autre part, une
âme telle que la tienne, ô Amélie, orageuse comme
l'Océan; un naufrage plus affreux que celui du mari-   5
nier: tout ce tableau est encore profondément gravé
dans ma mémoire. Soleil de ce ciel nouveau, maintenant témoin de mes larmes, échos du rivage améri-
cain qui répétez les accents de René, ce fut le lendemain de cette nuit terrible qu'appuyé sur le gaillard de   10
mon vaisseau je vis s'éloigner pour jamais ma terre
natale! Je contemplai longtemps sur la côte les derniers balancements des arbres de la patrie et les faîtes
du monastère qui s'abaissaient à l'horizon. »

Comme René achevait de raconter son histoire, il   15
tira un papier de son sein, et le donna au père Souël,
puis, se jetant dans les bras de Chactas et étouffant
ses sanglots, il laissa le temps au missionnaire de parcourir la lettre qu'il venait de lui remettre.

Elle était de la supérieur de… Elle contenait le   20
récit des derniers moments de la sœur Amélie de la
Miséricorde, morte victime de son zèle et de sa charité
en soignant ses compagnes attaquées d'une maladie
contagieuse. Toute la communauté était inconsolable
et l'on y regardait Amélie comme une sainte. La supé-   25
rieure ajoutait que, depuis trente ans qu'elle était à la
tête de la maison, elle n'avait jamais vu de religieuse
d'une humeur aussi douce et aussi égale, ni qui fût
plus contente d'avoir quitté les tribulations du monde.

Chactas pressait René dans ses bras; le vieillard
pleurait. « Mon enfant, dit-il à son fils, je voudrais
que le père Aubry fût ici; il tirait du fond de son cœur
je ne sais quelle paix qui, en les calmant, ne semblait
5 cependant point étrangère aux tempêtes: c'était la
lune dans une nuit orageuse. Les nuages errants ne
peuvent l'emporter dans leur course; pure et inaltérable, elle s'avance tranquille au-dessus d'eux.
Hélas! pour moi, tout me trouble et m'entraîne! »

10 Jusqu'alors le père Souël, sans proférer une parole,
avait écouté d'un air austère l'histoire de René. Il
portait en secret un cœur compatissant, mais il montrait au dehors un caractère inflexible; la sensibilité
du Sachem le fit sortir du silence:

15 « Rien, dit-il au frère d'Amélie, rien ne mérite dans
cette histoire la pitié qu'on vous montre ici. Je vois
un jeune homme entêté de chimères, à qui tout dé-
plaît, et qui s'est soustrait aux charges de la société
pour se livrer à d'inutiles rêveries. On n'est point,
20 monsieur, un homme supérieur parce qu'on aperçoit
le monde sous un jour odieux. On ne hait les hommes
et la vie que faute de voir assez loin. Étendez un peu
plus votre regard, et vous serez bientôt convaincu que
tous ces maux dont vous vous plaignez sont de purs
25 néants. Mais quelle honte de ne pouvoir songer au
seul malheur réel de votre vie sans être forcé de rougir!
Toute la pureté, toute la vertu, toute la religion, toutes
les couronnes d'une sainte rendent à peine tolérable
la seule idée de vos chagrins. Votre sœur a expié sa

faute; mais, s'il faut ici dire ma pensée, je crains que, par une épouvantable justice, un aveu sorti du sein de la tombe n'ait troublé votre âme à son tour. Que faites-vous seul au fond des forêts où vous consumez vos jours, négligeant tous vos devoirs? Des saints, 5 me direz-vous, se sont ensevelis dans les déserts. Ils y étaient avec leurs larmes, et employaient à éteindre leurs passions le temps que vous perdez peut-être à allumer les vôtres. Jeune présomptueux, qui avez cru que l'homme se peut suffire à lui-même, la solitude 10 est mauvaise à celui qui n'y vit pas avec Dieu; elle redouble les puissances de l'âme en même temps qu'elle leur ôte tout sujet pour s'exercer. Quiconque a reçu des forces doit les consacrer au service de ses sem-blables: s'il les laisse inutiles, il en est d'abord puni 15 par une secrète misère, et tôt ou tard le ciel lui envoie un châtiment effroyable. »

Troublé par ces paroles, René releva du sein de Chactas sa tête humiliée. Le Sachem aveugle se prit à sourire, et ce sourire de la bouche, qui ne se mariait pas 20 à celui des yeux, avait quelque chose de mystérieux et de céleste. « Mon fils, dit le vieil amant d'Atala, il nous parle sévèrement; il corrige et le vieillard et le jeune homme, et il a raison. Oui, il faut que tu re-nonces à cette vie extraordinaire qui n'est pleine que 25 de soucis: il n'y a de bonheur que dans les voies com-munes.

« Un jour le Meschacebé, encore assez près de sa source, se lassa de n'être qu'un limpide ruisseau. Il

demande des neiges aux montagnes, des eaux aux torrents, des pluies aux tempêtes, il franchit ses rives et
désole ses bois charmants. L'orgueilleux ruisseau
s'applaudit d'abord de sa puissance; mais, voyant que
5 tout devenait désert sur son passage, qu'il coulait
abandonné dans la solitude, que ses eaux étaient toujours troublées, il regretta l'humble lit que lui avait
creusé la nature, les oiseaux, les fleurs, les arbres et
les ruisseaux, jadis modestes compagnons de son
10 paisible cours. »

Chactas cessa de parler, et l'on entendit la voix du
flamant qui, retiré dans les roseaux du Meschacebé, annonçait un orage pour le milieu du jour. Les trois amis
reprirent la route de leurs cabanes: René marchait en
15 silence entre le missionnaire, qui priait Dieu, et le
Sachem aveugle, qui cherchait sa route. On dit que,
pressé par les deux vieillards, il retourna chez son
épouse, mais sans y trouver le bonheur. Il périt peu
de temps après avec Chactas et le père Souël dans les
20 massacres des Français et des Natchez à la Louisiane.
On montre encore un rocher où il allait s'asseoir au
soleil couchant.

FIN DE RENÉ

From the bust by David d'Angers

CHATEAUBRIAND

NOTES

Page 3. — 2. **Empire.** See map.

3. **Florides,** *f. pl.* By the treaty of Versailles Florida remained with the Spanish in 1783. The modern form in French is *la Floride.* *Les Florides* was a general term for the territory comprised in the modern states of Georgia, South Carolina and Tennessee.

6. **Fleuves.** The Charlevoix map shows these four rivers (see map).

12. **Le Meschacebé.** Chateaubriand chose this form as being the most harmonious (Sainte-Beuve). The notes at the bottom of the pages are by Chateaubriand. In « Atala » Chateaubriand makes use of Bartram, Charlevoix, Carver, and others, of his own notes, and of the oral accounts of the Rev. John Ives, of Bungay, England, where Chateaubriand lived for several months during his exile (1793–1800) from France after the French Revolution. This famous description of the Mississippi in « Atala » is still regarded as a model of descriptive prose, because it admirably expresses the luxuriance and splendor of the landscape.

15. **Délicieuse.** A vague, meaningless epithet, abstract and general, such as was characteristic of the seventeenth and eighteenth centuries of French literature. We find *délicieuse* again at the opening of the famous description discussed in A **21**–3. Precise, exact, concrete, however, are such words as *engraissent, limon, fertilisent, cimente, vase, enchaînent;* and, p. 6, l, 8, we find the concrete epithet *rougis.* In « René, » p. 129, l. 21, he even uses *mouchoir.* It is only natural that Chateaubriand should not have been able to cast off at once all the trammels, the generalities and the classicisms of the two preceding centuries.

17. **Louisiane.** So named in honor of Louis XIV (1638–1715), by René Robert Cavelier La Salle, who floated down the Mississippi to

---

[1] A + numeral refers to notes of « Atala »; R + numeral, to those of « René. »

its mouth, which he reached on April 9th, 1682. He took formal possession of the region in the name of France, which thus gained her first title to the vast drainage basin of the Mississippi.

19. **Akanza.** The Arkansas river.

20. **Le Tenase.** The Tennessee river.

4. — 10. **Il élève sa voix.** Personification. Other figures of speech are *cadavres*, also *voiles d'or*, l. 23. « Atala » is written in poetical prose, different from eighteenth-century writings, where the aim was thought, ideas, not style. In accord with Descartes' dictum as to style, in the seventeenth and eighteenth centuries prose was merely « le vêtement de la pensée. » Chateaubriand made it much more than that. Concerning « Atala » he says in his preface: « C'est une sorte de poème, » and in it his main consideration is beauty. « Atala » is not a novel, then, but a piece of poetical prose; this means that Chateaubriand made of prose an artistic form capable of rivalling poetry, capable of expressing all the emotional and picturesque elements which, up to this time, aside from some beginnings in the works of Rousseau and Bernadin St. Pierre, had been attempted only in poetry.

18. **Iles flottantes.** This passage caused much comment. However it is founded on Bartram. In praise of the close of Chateaubriand's paragraph here, Lemaître (« Chateaubriand ») says: « De telles choses n'avaient pas encore été écrites. » Bartram's rather plain prose has been transformed into the living, moving, bright creation of the poet. See Bédier's criticism: « Rien n'égale en splendeur — dans l'œuvre de Chateaubriand lui-même — la peinture du Meschacebé » (in Revue d'Histoire littéraire, vol VII, p. 104).

5. — 2. **Bişon,** or buffalo. Plants and animals Chateaubriand, the « enchanteur », is careful to place where they will produce the most effective picture. To him, as Bellesort says (in Le Correspondant, vol. 278, Jan.–March, 1920), the bison is not just an animal, but a god. Nowhere in Chateaubriand's nature descriptions do we find a cold enumeration of details à la Madame de Staël, that famous woman so productive of ideas, so lacking in style. Even the « serpents verts », p. 4, l. 20, become almost lovely in their fairylike surroundings.

3. **Se vient coucher.** This is the usual seventeenth-century word-order, where we say today *vient se coucher*, with the pronoun between

the personal verb and the infinitive. Similarly, with *aller*, Chateaubriand says: « Je te vais attendre, » « Il faut que je me hâte de t'aller rejoindre, » etc.

16. **Les vignes sauvages.** Note the exactitude and precision of all the details. Here eight exotic plants are enumerated; in the following paragraph, ten kinds of birds and animals. Such " documentation " was characteristic later of Balzac and of Flaubert. Like the passage closing with l. 11, p. 36, the close of paragraph 6, p. 6, sparkles like a piece of jewelled tapestry.

20. **Alcée.** Alcea is a synonym for althaea, and it may be that Charlevoix's " alcea Floridana " is a species of what we now call althaea, member of the Mallow family. Charlevoix describes it as a tall tree.

6. — 3. **Enivrés de raisins.** This passage was much ridiculed by would-be critics; however its correctness is attested by Bartram, Charlevoix, and others. This is another sentence where Chateaubriand out-rousseaus Rousseau. The entire paragraph presents another of the artistic tableaux for which Chateaubriand is famous.

16. **Murmure,** etc. As Lemaître says, « Atala » expresses « le suprême degré dans l'art de jouir, par le style, des formes, des couleurs et des sons. »

27. **J'essayerais,** etc. Chateaubriand was in America about five months. See note A **8**–5.

28. **Ces champs primitifs.** Within the scope of seven short paragraphs, Chateaubriand displays great skill in the handling of this immense panorama. He begins with a broad geographical statement in par. 2, then gradually narrows down; first, to *contrée*, in par. 3, and *tributaires*, *arbres*, and *la grâce;* then to the two banks of the Mississippi, in par. 4; and finally to each bank separately. By careful selection and grouping of details he composes a picture, a tableau, on each of the above topics. By skillful use of verbs, of figures of speech, of patches of color, and by choosing only what is in itself picturesque, he secures the effect of beauty. In his preface he says: « Peignons la nature, mais la belle nature: l'art ne doit pas s'occuper de l'imitation des monstres. » Note also the contrasted shores. This is another stylistic device; for the early missionaries speak of both banks of the Mississippi as being thickly wooded and plentifully stocked with game.

7. — 1. Le père Marquette. French Jesuit missionary and explorer, re-discoverer, with Louis Joliet, of the Mississippi. They made it generally known to the civilized world by a voyage down the river in 1673, 132 years after de Soto's discovery.

2. La Salle. See A 3-17. In 1684, 142 years after De Soto's expedition, La Salle attempted to settle a colony in Louisiana, but missed the Mississippi's mouth and landed in Texas, where he was murdered in 1687 by some of his followers.

3. Biloxi. City in Mississippi, in the south part of the state, on Biloxi Bay; 80 miles northeast of New Orleans. Pierre le Moyne d'Iberville (1661–1706) in 1699 built Fort Maurepas across the bay from the present city; and the settlement there, called Biloxi after the Biloxi Indians, was the first to be established by the French in this region.

4. Natchez. An Indian nation who lived about 100 miles southwest of Jackson, when the country was first settled. See map and A 94-12.

8. Chactas. The final s is pronounced. Bédier says the name Chactas is probably taken from the Louisiana tribe of Tchactas mentioned by Charlevoix. The Tchactas are described by missionaries as an Illinois nation, faithful allies of the French, who aided the latter in avenging themselves on the Natchez.

17. Versailles. Town 12 miles by road west southwest of Paris, seat of the palace of Versailles, built by Louis XIV. As Lemaître says, the coming of Chactas to Paris and to Versailles, is not at all an absurdity, because curiosities were shown frequently at the court of Louis XIV. This is true of the predecessors of Louis as well. See A 8-5.

18. Racine. Jean Racine, 1639–1699, French tragic dramatist, author of « Andromaque, » « Phèdre, » « Athalie, » etc.

19. Bossuet. Jacques Bénigne Bossuet, 1627–1704, French divine, orator and writer. Of the « Oraisons funèbres, » his three great masterpieces were delivered at the funerals of Henriette Marie, widow of Charles I (1669), her daughter, Henriette, duchess d'Orléans (1670), and the great soldier Condé (1687).

25. Antigone. In Greek legend, the daughter of Œdipus and Jocasta. When her father put his eyes out and resigned the throne of Thebes, she accompanied him into exile at Colonus.

26. **Œdipe.** In Greek legend, son of Laïus, king of Thebes, and Jocasta. Unwittingly he killed his father and married his own mother. Banished by his sons, he is tended lovingly by his daughters. He comes to Attica and dies in the grove of the Eumenides at Colonus. See Sophocles.

26. **Le Cythéron.** The Cithæron, now called Elatea, a famous mountain range in the south of Bœotia, famous in Greek mythology. It was on Cithæron that the infant Œdipus was exposed.

26. **Malvina, Ossian, Morven.** Ossian is a legendary Irish third-century hero of Celtic literature. During an expedition to Ireland, Ossian had married Evir-Allin, by whom he had a son, Oscar. The latter perished through treason, leaving his wife, Malvina, and his father, in despair. Morven is a mountain of northeastern Scotland, in the county of Caithness. Macpherson's poems, which he attributed to Ossian, were published in 1760. This work was translated into French in 1762–1763, and exercised a profound influence on the writers of all Europe. Villemain says, « c'était un échantillon de la nature que l'on rendait à des gens qui ne la regardaient plus depuis longtemps » (Larousse, grand Dictionnaire).

8. — 2. Fénelon. François de Salignac de la Mothe Fénelon, (1651–1715), French writer and archbishop of Cambrai. Author of « Télémaque, » written for the edification of his pupil, the Duke of Burgundy, grandson of Louis XIV.

5. **En 1725.** The story of « Atala » transpires therefore in the reign of Louis XV (1710–1774). In the second paragraph preceding, Chactas is presented at the court of Louis XIV (1638–1715). René is really Chateaubriand himself, whose full name was François-René de Chateaubriand (1768–1848). The story of his earlier life is told in « René. » He did not however embark at Saint-Malo for America until two years after the beginning of the French Revolution, on April 8th, 1791. Bédier has proved that he remained in America only about five months, seeing only the Great Lakes region, and that for the rest of his descriptions he used Bartram, etc.

11. **Céluta.** According to Anatole Le Braz, Chateaubriand went to Suffolk in February or March, 1794. He remained there nine or ten months, and fell in love with Charlotte Ives, of Bungay. To quote Le Braz, our story is « le précieux fragment autobiographique, essentiellement consacré aux amours de Bungay, qui s'appelle Atala. »

And Le Braz derives the name Céluta from Charlotte. To the compiler of these notes it seems to be the most natural explanation to regard Céluta as taken from the name Céleste of Céleste Buisson de la Vigne, to whom, as Chateaubriand says in his Mémoires, he let himself be married, on his return from America, in 1792. Similarly, in « Atala, » too, Chactas « lui donna » a wife (p. 8, l. 11). See R 101-1. Chateaubriand wrote « Atala » in 1792 and the following years (Chinard), largely during his exile in England. He was not in love with his wife, and did not see her again until eight years after their marriage.

17. **Jongleurs.** They were tricksters, and medicine-men, great enemies of religion.

18. **Manitou,** a kind of *génie* residing in animals, or in their skin or feathers; the manitou governs all things and is the master of life and death. Each person has also his own particular manitou.

23. **Pirogue.** The pirogue is a boat hollowed out of a tree, and « Les canots se font d'une seule écorce » (Père Rasles).

25. **Kentucky.** Chateaubriand saw only the Great Lakes region.

9. — 3. **Aventures.** That is, the story of his early manhood.

3. **Récit.** Aristotle said there should be a beginning, a middle, and an end. Chateaubriand says, in his preface, that he has divided « Atala » into *prologue, récit* and *épilogue,* in accordance with the practice of the Ancients. Thus, Chateaubriand still shows classic influence. The prologue we have already discussed: it consists of the description of the Mississippi. The epilogue, at the close, describes Niagara Falls. Framed in by these two descriptions, the *récit,* the tale proper, is divided into parts entitled, in order, *Les Chasseurs, Les Laboureurs, Le Drame, Les Funérailles.* Prologue and epilogue are narrated by the author, Chateaubriand; the *récit* is in the words of Chactas, and is concerned entirely with the story of his love for Atala.

10. Les Chasseurs. Savages comprise huntsmen and tillers of the soil. This part of the *récit* shows the primitive Indian, before his contact with the christianizing influence of the early Jesuit priests. As stated by missionaries in vol. 6 of the « Lettres édifiantes, » p. 144, the only way for the young Indian man to gain public esteem, was to become a skilful hunter or warrior. And on p. 145: « Lorsqu'un sauvage revient dans son pays chargé de plusieurs chevelures (scalps), il est reçu avec de grands honneurs; mais c'est pour lui le comble de la gloire, lorsqu'il fait des prisonniers et qu'il les amène vifs. » *Les Chasseurs* closes with the magnificent climax of a tremendous storm, and the transition to the peaceful life of *Les Laboureurs*.

13. **Lune des fleurs** is May Chactas means here that he is seventy-three years old.

17. **Pensacola.** City, and port of entry in northwest Florida. In 1696 Fort San Carlos was built, near the site of the present Fort Barrancas, and seems to have been named Pensacola.

18. **Louisiane.** See A **3**-17. As the date of the Spanish settlement (A **10**-17) is 1696, and Chactas says he was born shortly after that, the date of his birth, if historically correct, would be May 1696, or 1697. In « Atala, » p. 10, he says he is seventy-three years old, therefore according to that the date at which he is narrating his life here to René is either 1769 or 1770. As René arrived in 1725 (« Atala, » p. 8), he would be now, according to the above, forty-four or forty-five years old. René de Chateaubriand however was only twenty-three when he set sail for America in 1791. René of « Atala» is constantly spoken of as *jeune homme, jeune Français, jeune idolâtre*, and in « René, » p. 141, le père Souël calls him *jeune présomptueux*. In « Atala,» Chactas says when he was seventeen years old Saint-Augustine had been « nouvellement batie,» (1565, A **11**-9). This would make Chactas' birth date 1548, or about 150 years earlier than the date established above However Chateaubriand here is writing literature, not history, and a well-known dictum says an author need be true only to the characters, and to the spirit of a time. Chateaubriand felt justified in combining several characters into one, or in reducing time. Thus, in the preface to « Les Natchez, » he says, « Pour faire passer sous les yeux de Chactas les hommes illustres du grand siècle, j'ai quelquefois été obligé de serrer les temps, de grouper ensemble des hommes qui n'ont pas vécu tout à fait ensemble. . . Personne ne me reprochera sans doute ces légers anachronismes, » etc.

18. **Chutes de feuilles.** That is, seventeen years.

20. **Muscogulges.** Alcedo gives Muskogugge, the Muskogee, or Creek Indians, of the middle parts of Georgia.

11. — 2. **La Maubile.** The Mobile river in the southwestern part of Georgia.

8. **Saint-Augustin.** The oldest permanent settlement of Europeans in the United States. It was founded by Spanish colonists in 1565.

12. **Lopez.** Chactas remains with him « trente lunes, » or two and one-half years, till he was nineteen and a half years old. When Chateaubriand was nineteen years old, he was presented at court, and conceived a strong dislike for society and court life. Chateaubriand too was an « enfant de la nature. » Lopez says, « Si j'étais plus jeune moi-même, je t'accompagnerais au désert » (« Atala, » p. 15). These words remind us of Malesherbes, who, when Chateaubriand was planning to come to America, said, « Si j'étais plus jeune, je partirais avec vous » (see « Mémoires » I, p. 308). And the words of Lopez, « Quand tu seras dans les forêts, songe quelquefois à ce vieil Espagnol qui te donna l'hospitalité, » recall those of Malesherbes, when he said to Chateaubriand, « Ne manquez pas de m'écrire par tous les vaisseaux. » As to Lopez' « doux souvenirs, » see « Atala, » p. 12, l. 16. The narration of Lopez' further trials, poverty, and final restoration to wealth, is given in « Les Natchez, » books V and VII.

12. — 27. **Siminoles.** See A 89–14.

13. — 2. **Simaghan,** chieftain, father of Atala. Bédier says the name Simaghan « provient peut-être d'un petit dictionnaire chippoway donné par Carver, ou Simaghan est traduit par épée. »

4. **Miscou.** Bédier says Chateaubriand « a dû tirer le nom de Miscou d'une île du golfe Saint-Laurent. » Miscou is the grandfather of Chactas, whose father is Outalissi.

20. Note the harmoniousness and beauty of the paragraph commencing, « Les femmes. » Le Braz refers *les femmes* to Mrs. Ives and Charlotte.

22. **Ma mère.** Chateaubriand's mother was in Saint-Malo. In 1798 she was arrested, taken in a tumbril to Paris and imprisoned in the conciergerie, awaiting execution by guillotine. Her death, May 31, 1798, was hastened by her sufferings and privations during the Revolution. It was her farewell message to Chateaubriand, just before her death, which brought about his conversion. He says of his conversion in the « Mémoires » II, p. 180, « Je suis devenu chrétien. Je n'ai point cédé, j'en conviens, à de grandes lumières surnaturelles: ma conviction est sortie du cœur; j'ai pleuré et j'ai cru. »

14. — 19. **Je serais brûlé.** Le Braz remarks, Chateaubriand had been given up by the English doctors and thought he had only a few months to live, i.e. was in the same frame of mind as Chactas here, « et il salua en Charlotte Ives la vierge des dernières amours, venue pour enchanter ses heures suprêmes. » See A 77-17.

15. — 24. **Atala.** Bédier derives *Chactas*, A 7-8, from the tribal name Tchactas; and *Miscou*, A 13-4, from an island in the Gulf of St. Lawrence. Similarly, the compiler of these notes suggests as possible that the name *Atala* may have been taken from one of the designations of the Cherokee (native Tsalagi, « cave people »), a tribe of Indians of Iroquoian stock. Their chief divisions (Enc. Brit.) were the *Elati Tsalagi* or Lower Cherokees (those dwelling in the plains), and the *Atali Tsalagi* or Higher Cherokees (those on the mountains). From the first member of *Atali Tsalagi*, Chateaubriand may have formed the name *Atala*. A contributing source might be the name *Atlantide*, mentioned by Chateaubriand in the preface of the « Voyage en Amérique. »

26. **Apalachucla**, « ville de la paix » (Chat. « Voyage »). Bartram, p. 387 and 462, says Apalachucla, a town on the Apalachucla or Chata Uche river, is esteemed the capital of the Creek or Muscogulge confederacy. The modern form is Apalachicola.

16. — 2. **Larmes.** Chateaubriand says in his preface to « Atala »: « Mon but n'a pas été d'arracher beaucoup de larmes, » etc. This was a new doctrine, a distinct break with the eighteenth-century fondness for tears and *sensibilité*.

8. **Les hommes ne peuvent,** etc. *Que* here means " but."

16. **Alachua.** An extensive prairie of Florida, seventy-five miles west of St. Augustine. The town of Alachua is fifteen miles northwest of Gainesville.

22. **Puits.** Chateaubriand, « Voyage, » p. 93, defines *puits* as « bassins, plus ou moins larges, plus ou moins profonds, » having underground connection with lakes, swamps, or rivers.

23. **Attaché,** etc. Le Braz says, « Comme Chateaubriand était cloué au lit ou à la chaise longue, » at Bungay, after his accident described in the « Mémoires, » II, book 8, p. 135.

25. **Que** means here " before." Note that *que* preceding a verb in the subjunctive means " let," as in l. 18 of p. 18.

26. **Liquidambar.** Bartram defines it as the American gum-storax-tree, with a maple-leaf, called also sweet-gum.

17. — 9. **Nous gardions un profond silence.** Chateaubriand says in his preface, concerning « Atala, » « Tout consiste dans la peinture de deux amants qui marchent et causent dans la solitude, et dans le tableau des troubles de l'amour au milieu du calme des déserts. »

18. — 2. **Le corps,** etc. Of his exile in England, while at Bungay, Chateaubriand says, « Avant ma renommée, la famille de M. Ives est la seule qui m'ait voulu du bien, » etc., Mémoires II, book 8, p. 137. The passage beginning, « Tout à coup j'entendis, » « Atala, » p. 14, l. 23, to « Ici Chactas fut contraint, » is famous. Lemaître, amongst others, says of it, « De telles choses n'avaient pas encore été écrites. » See A 4–18, also the famous paragraph on p. 18, starting, « Ces mots attendrirent Atala, » to l. 22.

19. — 1. **Ma religion.** Chactas is a « méchant idolâtre » (p. 15, l. 23), while Atala says of herself, « Ma mère m'a faite chrétienne. » The difference in faith between Chateaubriand and Charlotte Ives was, that he was Catholic, restored to the faith after his mother's death; Charlotte was Protestant.

14. **Que ne te jettes-tu,** etc. *Que* here means " why."

17. **Coucher du soleil.** Melancholy was one of the chief traits of Chateaubriand's character, and this trait affected his writings: we find many descriptions of sunsets, of moonlight or clear Oriental nights, each with a local color characteristic of one place, and of only one. Not only does he prefer the more melancholy aspects of nature, but also the characters of whom he treats are themselves melancholy: Chactas, Atala, René, and all the others. Chateaubriand's writings influenced his entire generation; and the modern melancholy of the French poets, of Lamartine and all the rest, dates from him: the haunting of death; the feeling of our infirmity, of the brevity of our life and the eternity of the world; regret for the past; doubt; need of faith; our isolation — the inner sanctuary into which no other can penetrate; vague passions, desires, ambitions, dreams. Then there is the contrast between the calm of nature and of religion, and the troubled hearts of Atala and Chactas.

20. — 7. **O première promenade,** etc., see p. 43, « quel spectacle! » etc. Note the frequent exclamations, which form one of the characteristics of Chateaubriand's style, as of Bartram's. Le Braz regards the promenade here as a reminiscence of the walks taken with Charlotte Ives during Chateaubriand's convalescence at her home (see A **3**–12).

20. — 13. **Pour être libre.** No doubt this was one of the reasons why Chateaubriand undertook the trip to America; also because he was « poussé par des passions et des malheurs » (« Atala, » p. 8, l. 6). He was « dégoûté » by the horrors of the French Revolution also, he says. The *mort affreuse*, l. 16, probably refers, as Le Braz says, to the fact that the doctors had despaired of Chateaubriand's life.

21. — 3. **Cuscowilla.** Bartram, p. 189 and 462, says: " Cuscowilla or Allachua, capital of the Alachua tribe, a town of the Siminoles or Lower Creeks on the Flint river (an arm of the Chata Uche: A **25**–20), contains about thirty habitations," etc. « La nuit était délicieuse, » to the close of this paragraph, is famous. Sainte-Beuve, and others, speak of the magically harmonious effect brought about by the vague light — *lumière gris de perle* — and the shadows — *la cime indéterminée des forêts*. In a few words, Chateaubriand has succeeded here in expressing the inexpressible, and in giving at the same time an impression of immensity — *la cime indéterminée* — and of dreaminess — *sa chevelure bleue; l'âme de la solitude soupirait*. As Le Breton, « Le Roman Français, » p. 240, says, all these things are « des accents d'une Muse inconnue. » Bernardin de Saint-Pierre wields only his " small brush " here when he writes, « Les nuages qui flottent çà et là sont d'un beau gris de perle. »

25. **Un amant,** etc., another picturesque detail of exotic local color, producing the impression of things seen, like the Indian mother's farewell to her dead son below; or the numerous exotic words in the prologue.

23. — 23. **Heureux ceux,** etc. Cf. Sophocles' « Œdipus Colonus »: " The best of all is never to have been born; the next best is to die as soon as possible." For what Chateaubriand himself says, see A **98**–3; R **140**–19.

24. — 2. **Le vent du Midi,** etc., another splendid and celebrated comparison.

16. **Religion.** The sentiments expressed here would hardly have been written by Chateaubriand prior to 1798, during the period of his scepticism. See A **13**–22. Chateaubriand, great poet and artist

as he was, was religious from the imagination rather than from the heart; that is, what appealed to him most, was the beauty, the music, the artistic setting of religious ceremonies, and the splendor of the Gothic cathedral. He said of himself, « Il n'est ici-bas chrétien plus croyant et homme plus incrédule que moi » After his conversion, however, he became a defender of the faith, and he died a good Christian. Honor was a Christian virtue which he practised unswervingly, even to the point of hazarding life, fortune, happiness, for its upholding.

25. — 20. **Chata-Uche,** the Chattahoochee river, in Georgia. A **15**–26.

29. — 7. **Osselets.** Cf. Chateaubriand, « Voyage, » p. 195, where he says the osselet resembles apricot seed, carved into six unequal faces.

17. **Lièvre.** Chateaubriand, in the « Voyage, » p. 267, says: « Le Grand-Castor est après le Grand-Lièvre le plus puissant des Manitous. »

17. **Matchimanitou.** We remember in "Hiawatha": " Mitche Manito " the dreadful Spirit of Evil.

18. **Atahensic,** « génie de la vengeance, » according to « Les Natchez, » p. 203, note.

24. **Endaé.** This is similar to a story in Ovid's " Metamorphoses." Eurydice was bitten by a serpent and died. Her husband, Orpheus, went down to the lower world and by his music softened the hearts of Pluto and Persephone, who allowed Eurydice to return with him to earth. Orpheus broke his promise, looked back, and Eurydice vanished from his sight.

31. — 26. **La nuit.** As has often been said, Chateaubriand has given us a whole gallery of nights: nights at sea, in America, Greece, Asia, the desert — and no two of them alike; because he everywhere succeeds in grasping and fixing the precise tone, the exact color. See A **19**–17.

32. — 4. **Une Jeune Indienne,** etc. Sainte-Beuve points to the emotional character of this and the preceding passage: « Chateaubriand ici a égalé l'antique (Virgile). »

34. — 26. **L'étoile immobile.** They proceed northwards for twenty-seven days (p. 42, l. 3), until they meet the missionary.

35. — 2. **Le désert,** etc. Another passage presenting, in nine words, the immensity of a vast landscape.

7. **Agar.** See Genesis XXI, 14–21.

23. **Comme deux cygnes.** A celebrated and beautiful comparison.

26. **Mousse.** Bellesort comments that moss is for Chateaubriand not just moss, but the veils of a phantom. See A **5**–2. The close of this paragraph offers another celebrated and beautiful comparison.

36. — 16. **Allait flottant.** This is an old construction, found frequently in seventeenth century writers, in which *aller* is followed by the present participle to express continuity or repetition of the action. See also p. 58, l. 5, « Ils allaient mesurant le terrain ».

28. **Tripes de roche.** Though a somewhat bitter purgative, they have proved extremely useful to travelers when other foods failed.

37. — 3. **Une plante.** Probably a genus of the pitcher-plant is meant here, which grows in profusion in damp places of the northern woods.

17. **Un secret.** As Le Braz says, this was Chateaubriand's state, not Charlotte's. Though evidently in love with Charlotte Ives, he did not ask her to be his wife, and she was ignorant of the fact that he was already married.

38. — 2. **Occone.** Oconee county in the northern part of Georgia, is bounded on the east by the Oconee River, and on the west by the Appalachee.

10. **La fierté,** etc. Le Braz regards this paragraph as descriptive of Charlotte Ives.

28. **Keow. Jore.** Alcedo says Cowe is the capital town of the Cherokee Indians, situated at the foot of the hills on both sides of the river Tennessee. It is near the line which separates Tennessee from Virginia. According to Bartram, the Jore mountains were west of Keowe on a branch of the Tennessee.

39. — 5. **Appuyé sur son arc.** Sainte-Beuve notes that Chateaubriand often thus terminates his « pensée en image ou en statue. » See A **61**–23.

12. **Elle chantait.** The following song is celebrated. It gives us a perfect form of poetic prose. Chateaubriand has shown here, as in many other parts of « Atala, » that prose is capable of rivalling poetry, that it can express, musically, and harmoniously, nearly all that poetry can express.

42. — 5. **Un orage.** The following description of the storm is celebrated, with the powerful contrast between the mightiness of the tempest, the fragility of man. « Le ciel s'ouvre, » p. 43, l. 4, to the period, is another example of Chateaubriand's skill: here he paints in one short sentence the immensity of the sky, and of the yawning spaces of the heavens beyond. See A **21**-3, and **35**-2.

25. **Carcajou.** The wolverene inhabits British America and northerly or mountainous regions of the United States. It is two or three feet long.

44. — 23. **Me garde,** etc., present subjunctive, used as imperative.

46. — 8. **Superbes forêts,** etc., famous description of primeval nature. The whole paragraph, from here on, is in the fevered style of « René. »

22. **Une cloche.** See A **57**-10. This motif is further developed in « René, » and becomes a whole orchestra in Hugo's « Notre Dame. » The spirit of the eighteenth century was sceptical, because of the attacks against religion and the church by the Encyclopédistes and Voltaire. Chateaubriand was contaminated by this philosophy. From his mother's death on, however, he defended religion (A **19**-1; **24**-16), which means that the re-entry of religious sentiment into French literature after the Revolution was largely due to Chateaubriand.

26. **Un vieux solitaire,** le Père Aubry. According to Bédier, « le Père Aubry réunit en lui les mérites de deux de ces martyrs du Canada dont Charlevoix a écrit les ‹actes,› le Père Jogues et le Père de Brébeuf. » Mr. Le Braz, on the other hand, thinks the prototype of Père Aubry is « l'ex-missionnaire protestant John Ives, » the father of Charlotte. See A **8**-11.

47. — 27. **Et que je leur puis être utile.** etc. Similarly, Malesherbes (Chrétien-Guillaume de Lamoignon de Malesherbes, 1721–1794), leaving his retreat to go to the defence of Louis XVI, his former master, when told of the dangers he might incur, replied, « Je vais à mon poste; le roi pourrait avoir besoin de moi. » He was then seventy-one years of age. In 1794, he too, was guillotined. See A **53**-28.

48. — 23. **Les Laboureurs.** These are the Indians who, under the influence of a priest, have drawn together into a community, or village, where they follow the peaceful pursuits of a Christian life, in which is shown, according to the author, « la supériorité de cette vie stable et occupée sur la vie errante et oisive du sauvage » (« Atala, » p. 58, l. 15). This division of the story is followed by the powerful climax of Atala's death.

26. **Je sentais les passions s'apaiser.** This is similar to what Chateaubriand says of Malesherbes (« Mémoires » I, p. 466): « Il me semblait que je devenais plus fort et plus libre en présence de cet homme vertueux, » etc.

49. — 11. **Sa taille était élevée.** See « Mémoires » I, p. 467: « M. de Malesherbes aurait été grand si sa taille épaisse ne l'avait empêché de la paraître. »

12. **Sa physionomie simple et sincère.** Sainte-Beuve, in « Causeries du Lundi, » II, characterizes M. de Malesherbes as « modeste, instruit, noble, digne, naturel avant tout, bonhomme, simple, bienfaisant. » Cf. « La Nouvelle Biographie Générale, » vol. 33: « Son accueil et ses manières étaient simples comme sa vie . . . On le quittait avec peine, pénétré de reconnaissance pour sa bonté, » etc.

12. **Il n'avait pas les traits,** etc. See « Mémoires » I, p. 233, about Malesherbes: « Il était plein de science, de probité et de courage; mais bouillant, passionné, » etc.

18. **Les yeux modestement baissés.** In « Les Relations des Jésuites, » vol. 66, p. 177, in a letter to Jouvency, Aubéry says, « You knew me when I was your pupil — how diffident I was — But I am quite another person since I live among these barbarians. »

50. — 2. **Le livre des chrétiens.** The Bible.

4. **L'homme des anciens jours.** That is, *vieillard*, old man. Sainte-Beuve speaks of Malesherbes as « un homme des anciens jours. »

9. **La crème des noix.** Larousse defines *crème* as « liqueur extraite de certaines plantes. »

10. **Du grand Esprit.** God.

23. **Au grand génie.** The missionary.

23. **La montagne.** The description here, we believe, was taken by Chateaubriand, at least in part, from notes made during actual inspection of the site at Saint-François (northeast of Montreal, near Lake St. Pierre), or else from verbal reports, or from some account which we have been unable to find, or from all three. Père Sébastian Rasles, 1723, in « Lettres édifiantes, » vol. VI, p. 238, speaks of Saint-François, the principal village of the « mission abnakise » as being one and one-half days distant from Montreal. In a note of

the preface to « Le Voyage en Amérique, » p. 312, Chateaubriand
speaks of a small manuscript Iroquois grammar sent him by M. Mar-
coux, missionary at Saut Saint-Louis, district of Montreal, *dans le
Bas-Canada*. It seems therefore that at least it would not have been
very difficult for Chateaubriand himself to go as far as Montreal and
Saint-François. In « Voyage en Amérique, » Chateaubriand speaks
of « les Abénaquis de Saint-François » as one of the six remaining
hamlets of Christianized Indians in lower Canada. Maurault,
« Histoire des Abenakis, » p. 272 and fol., says, « Comme l'endroit
où étaient les sauvages à Saint-François, depuis quinze ans, était
bas et malsain, le Père Bigot jugea propos d'établir sa mission dans
une place plus élevée et plus saine. » He chose a place about twenty
arpents from the former village, and it was « le plus beau site de la
rivière Saint-François. Du village sauvage, élevé à plus de 80 pieds
au-dessus du niveau de l'eau, la vue s'étend au loin sur la rivière » (p.
281). From 1687 on, the *Abénakis* were at Saint-François.

51. — 4. **Du troupeau,** etc. Charlevoix, vol. III, p. 121, says, about
the Abénaquais: « Le village est nombreux et n'est habité que par des
Chrétiens. Cette nation est docile et de tout temps affectionnée aux
Français, » and mentions their missionary, le Père Joseph Aubéry
and his disquietude because they were fond of brandy.

Maurault, p. 378, says, « La nouvelle de la mort de Louis XIV
affligea profondément les Abénakis, car ces sauvages aimaient ce
grand roi, » etc. So we seem to see why — one reason why — Chateaubriand committed the chronological blunder of introducing
Louis XIV into « Atala, » on page 7.

11. **Les deux mains mutilées.** It was Father Isaac Jogues,
founder of the Iroquois mission (see map), whose hands were muti-
lated. See A **95**–20.

20. **Une illustre reine.** Charlevoix, in vol. I, p. 250, narrates that
Père Jogues went to France after his tortures, in 1644. « La Reine
Mère le voulut voir, et lui fit un accueil digne de sa piété. » It was
Anne of Austria (1601–1666), wife of Louis XIII, who is meant.

24. **Du chef,** etc., is the Pope. Charlevoix continues: « Le Pape,
à qui il demanda la permission de célébrer les divins Mystères avec
ses mains mutilées, répondit qu'il ne serait juste de refuser à un mar-
tyr de Jésus-Christ de boire le Sang de Jésus-Christ, » etc. Innocent
X was Pope from 1644 to 1655.

29. **Trente ans.** Père Aubry commenced his ministrations at Saint-François in 1708 (1709?), but founded seven years earlier (in « Atala » nearly eight years), in 1701, a mission at Medoctec, on the St. John river, in New Brunswick (« Les Relations des Jésuites, » vol. 66, p. 344). Chateaubriand says here Aubry had been in possession of « ce rocher » 22 years, and 1708 plus 22 makes 1728, or three years after the arrival of René in Louisiana (« Atala, » p. 8). We have seen before that dates do not mean a great deal to the poet Chateaubriand.

52. — 8. Au bas de cette montagne. Chateaubriand is improvising here, for the real Père Aubry did not live apart from the Indians. Rochemonteix, vol. III, p. 402, states about Père Aubry and his Abenaki people, that he « conquit vite son estime et son affection, vivant de sa vie sous la cabane et dans ses courses à travers les bois. »

23. **Quelques renards,** etc. Another celebrated picture. See A **39**-5.

25. **Le frémissement.** Chateaubriand here artistically describes the gradual abating of the storm, « De muets éclairs, » etc., as he had shown its gradual coming up, « un tonnerre lointain, » etc.

53 .— 2. Aubry, Joseph, born at Gisors, Normandy, March 10, 1674 (or 1673), arrived in Canada in 1694. On page 498 Maurault speaks of Père Aubry. « Le Père Joseph Aubéry, le plus remarquable sous tous rapports, des missionnaires de Saint-François ... En 1709, il fut envoyé à Saint-François, et demeura dans cette mission jusqu'à sa mort, qui arriva en 1755. Il était alors dans sa 55ème année de prêtrise. Il fut inhumé dans la première église des Abénakis à Saint-François. . . . Il demeura 46 ans à Saint-François. » In Correspondance, p. 67, 1802, Sept. 25, in a letter à l'abbé Nicolas Sylvestre Guillon, Chateaubriand says: « Le Père Aubry a véritablement quelques traits du Père Jogues. J'avais fait entendre dans ma première préface que c'était un personnage réel, » etc. In 1760, five years after Père Aubry's death, the population at Saint-François was about 700. Rochemonteix, « Les Jésuites, » etc., p. 407, says: « Saint-François devint l'œuvre du Père Aubéry: elle eut son cœur et sa vie. . . . Sa mémoire est restée en vénération parmi les sauvages. On en parle encore aujourd'hui. . . . En 1791, Chateaubriand, voyageant en Amérique, trouva le souvenir de l'apôtre si cher et si vénéré sous l'humble cabane des tribus indiennes qu'il

voulut en faire un des personnages de la romanesque histoire
d''Atala.' Son génie immortalisa ainsi le prêtre,» etc. « Les Relations des Jésuites,» vol. 66, p. 344, states that « Chateaubriand
drew from Aubéry's character and career material for one of the
characters in his historical romance 'Atala' ».

21. **Une rose de magnolia.** This is a celebrated and oft-used
motif — that of a flower, symbol of happiness, which later, in time
of woe, becomes a poignant reminder of the felicity that is gone (see
« Atala,» p. 83, l. 7). Lessing makes use of it in « Emilia Galotti. »

28. **Ses deux poches.** The two large side pockets of the usual
cassock. It seems a singular coincidence that Malesherbes, too, was
noted for his pockets. Sainte-Beuve mentions « son habit marron
à grandes poches », etc. In this paragraph of « Atala » are mentioned
also *acacias, un pin.* In the « Life of Lamoignon Malesherbes, »
translated in 1806 from the French of Claude Izouard, called Delisle de Sales, we find the following description of the estate of Malesherbes, owned by M. Malesherbes, in the district of Pithiviers, about
42 kilometers from Orléans: " He planted, in his grounds, at Malesherbes, a quantity of shrubs and exotics; these he had even famil-
iarized to the climate, and multiplied them to such a degree, that in
straying through his woods, one might fancy himself transported into
distant regions, where the accacia, the palm, and the trees of Pales-
tine grow. High rocks, magnificent water-falls, and majestic pines,
added still more to the illusion »; and, concerning M. Malesherbes:
" Rising before the dawn," like Père Aubry, « Atala,» p. 53, " he
walked out to watch the progress of vegetation . . . Gothic place . . .
at his castle in the country Malesherbes wrote a work on agriculture
which was published in 1790 "; as Père Aubry taught the Indians
of his mission, « Atala, » p. 55, fol.

54. — 12. **Ces vieux chênes.** It is well known that the Indians
made a similar use of birch-bark.

55. — 3, — 5. **56.** — 3. **Pont, cimetière, village.** Le Braz thinks
Chateaubriand takes for model here Saint-Margaret Ilketshall, Suffolk, where the Rev. Ives was pastor. It was about three miles from
Bungay. The present writer thinks Chateaubriand has drawn a picture here especially of the mission at Saint-François (see A 50–23),
with possibly some additions from the neighborhood of Bungay,
and very probably from Malesherbes (see A 53–28). The translation

from Delisle de Sales says of M. Malesherbes: " He employed his wealth thus: canals were carefully formed; meadows reclaimed; marshes drained; the roads in his neighborhood skilfully made, with dykes, umbrageous walks, and picturesque plantations. . . . To facilitate communication, he constructed several bridges of solid masonry . . . a shady walk near the high-road protected the traveller from the fervor of the sun; and for the repose of the humble foot-passenger, commodious benches were at hand, while a fountain of pure water flowed to appease his thirst. . . . The children received instruction, the aged were held in honor." See in «Atala» here the *pont naturel, des fleuves pour canaux* (p. 54, 55), *un ruisseau* (p. 55), *une avenue de magnolias et de chênes verts, des enfants à instruire* (p. 56), and *la fontaine* (p. 58), *de rocher en rocher* (p. 59), *la vieillesse est . . . une espèce de sacerdoce* (p. 59). The estate of M. Malesherbes was not far from Paris. It requires no stretch of the imagination to suppose that Chateaubriand visited it, and that after the guillotining of M. Malesherbes, if not before, he transferred some of the local color of the Malesherbes estate to « Atala, » and some of the traits of M. Malesherbes, whom he knew and admired, to the character of Père Aubry, whom he admired but did not know, substituting a living model for one of hearsay. See A **70** –13.

56. — 4. **Un lac.** Le Braz says the lake of St. Margaret-Ilketshall is «une mare profonde.» The present writer thinks the lake referred to here by Chateaubriand is the one at Saint-François. Maurault, p. 345, speaks of the latter as « Saint-François-du-lac, » and on p. 268: « l'église de la mission de Saint-François de Sales, laquelle mission était alors transférée à Saint-François du Lac. » It was frequently thus called, as it is still today. Page 298, he says of the Abenakis there, « Forcés par les maladies et les inondations de déloger une troisième fois, ils se retirèrent, vers 1735, sur le terrain qu'ils occupent actuellement. » Another reason for Chateaubriand's interest in the Abenakis seems to us to be the fact mentioned by Maurault, p. 6, note 3, about the *métis* (half-breeds) among the Abenakis, that « la plupart de leurs pères venaient de Saint-Malo, » which was Chateaubriand's birth-place. See A **96**–19.

5. **Une avenue.** Of Malesherbes it is said, « Son avenue d'arbres de Sainte-Lucie » (in the Antilles) « était la plus belle qu'il y eût en Europe. »

13. **L'homme de Jésus-Christ.** This description accords with what we read concerning the beloved Père Aubry.

57. — 5. **L'autel se prépare,** etc. Father Rasles and others speak of similar hasty setting-up of improvised altars.

10. **L'aurore paraissait.** Sainte-Beuve says, « Il tire de cet accident du rayon une raison de croire, » etc. The present writer disagrees. Chateaubriand had studied his sources, and he had perhaps also witnessed such scenes in the lake regions of Canada (see « Mémoires » I, p. 399: ... « je jetai, avant de partir, un coup d'oeil sur les lacs du Canada »). Rochemonteix, vol. 3, p. 380, says, « Pour faire aimer aux sauvages les cérémonies religieuses, le missionnaire négligeait ni les décorations ni les chants. » And on p. 381, note 2: « Nous avons trois cloches avec lesquelles on fait un carillon assez agréable, » etc. Chateaubriand here, appealing to his sceptical countrymen, is rightly adopting the same method as that employed by the early Jesuit missionaries in instructing the Indian: he stresses the poetical and beautiful phases of religious worship.

20. **Le grand mystère.** The transmutation of the host and the wine. See « Atala, » p. 80, l. 4.

59. — 6. **Sem,** Shem, in the Bible; the eldest of the three sons of Noah.

22. **L'économie sociale.** This again reminds us of Malesherbes, who proposed many useful reforms, and wrote many articles « sur la manière d'utiliser les landes, sur les progrès de l'économie rurale, » etc. See Nouvelle Biographie Générale.

60. — 2. **Cette nouvelle Béthanie.** Bethany, a village near Jerusalem.

10. **Qu'une hutte,** etc. See « Mémoires, » vol. II, p. 135, where Chateaubriand says of his episode with Charlotte Ives, « Si l'on m'eût dit que je passerais le reste de ma vie, ignoré au sein de cette famille solitaire, je serais mort de plaisir; ... pas une seule ligne ne serait tombée de ma plume, » etc. And the rest of the paragraph concluding « Les Laboureurs » is an exact picture of Chateaubriand's destiny after the guillotining of his brother and of Malesherbes in 1794.

61. — 8. **Soixante-seize années.** According to Chateaubriand, the dates of the birth and death of Chactas are 1652–1731 (see close of A **9**–18). When Chactas was about nineteen and one-half years old, in 1671, Père Aubry was seventy-six (« Atala, » p. 61). Historically, Père Aubry (1673-1755 or 1674-1756) was not yet born in 1671 and he was not seventy-six until 1749; in other words, history here, in « Atala, » is turned back seventy-eight years.

23. **Frappé**, etc., another « tableau, » fixed, like a statue. As some one has said, Chateaubriand sees his personages only, he does not analyze their emotions.

28. **Ne sera que.** Future of probability.

62. — 27. **La reine des anges.** The Virgin.

63. — 1. **Seizième année.** This was about the age of Charlotte Ives when Chateaubriand knew her.

65. — 5. **Exilé.** This word does not fit the character of the real Père Aubry, whose heart and soul were in his mission (see A **52**-8; **53**-2). It is applicable however to Malesherbes, who was literally « exilé dans ses terres, » April 6, 1771.

11. **Eclairs.** See « Mémoires » I, p. 467, where Chateaubriand says of Malesherbes, « Mais si on venait à toucher la corde sensible, il se levait comme l'éclair, ses yeux à l'instant s'ouvraient et s'agrandissaient: aux paroles chaudes qui sortaient de sa bouche, » etc.

66. — 2. **Te sollicitant.** Sainte-Beuve says, « Les paroles d'Atala mourante sont animées d'un sublime délire de passion; elles répondent en beauté, en énergie brûlante, au cri que Chactas a poussé dans la forêt: « Quel dessein n'ai-je point rêvé ? Quel songe n'est point sorti de ce coeur si triste ? » This reference, however, is a mistake: these words were spoken by Atala herself (p. 66, l. 24).

67. — 15. **Il faut donc éloigner.** Sainte-Beuve says of this, « Le discours du Père Aubry à Atala et à Chactas est célèbre. » In an outburst of extreme romanticism, Atala has just uttered blasphemies.

24. **Egarée.** Florisoone says: « La religion n'est inhumaine que pour qui la comprend mal, voilà le sens de cet épisode. »

28. **Une seul larme.** See the famous declaration of Chateaubriand, after his mother's death: « J'ai pleuré et j'ai cru. » A **13**-22.

70. — 13. **Il savait se faire entendre à notre jeunesse.** Père Aubry has many of the traits of Malesherbes. See « Mémoires, » I, « M. de Malesherbes se plaisait au milieu de ses enfants, petits-enfants et arrière-petits-enfants. Mainte fois, au commencement de la Révolution, je l'ai vu . . . se laisser lutiner avec un tapage affreux par les enfants ameutés. » Paul Hazard, in Bédier's « Littérature

Française Illustrée,» II, p. 173, says of Père Aubry: « Le missionnaire mutilé . . . ne laisse pas de parler comme 'une espèce de philosophe.' On dirait qu'il a été d'abord, dans je ne sais quelle forme
antérieure du récit, un de ces vieillards que le XVIIIᵉ siècle char-
geait si volontiers d'exprimer ses moralités, sans froc et sans croix.»
It seems to us he incarnates, not a random « philosophe,» but, at
least in part, Malesherbes himself.

72. — 2. **Du dêfaut de lumières.** He refers here to the dangers
of ignorant fanaticism.

16. **Les reines.** Reference to Henriette, wife of Charles First of
England. See Bossuet's famous funeral oration (A 7–19) on Henriette of France. Chactas is spoken of as having heard Bossuet, p. 7
of « Atala.»

74. — 4. **Grandes dames.** This refers especially to Mademoiselle
de la Vallière, mistress of Louis XIV. In April, 1674, she publicly
took leave of the King « et alla vêtir l'habit chez les carmélites de
la rue Saint-Jacques. Bossuet prêcha pour sa profession.»

23. **Jamais elle n'aime longtemps,** etc., is the philosophy of
« René.» And the following sentence voices « l'isolement »; also
« cette infirmité de la mort,» all of them motifs of the modern melancholy of the poets.

75. — 7. **O vanité.** In reply to critics Chateaubriand says in his
preface, « On a été révolté de ce passage,» and points to the fact that
Père Aubry exaggerates the ills of life in order to « ôter à Atala tout
regret.» On p. 67, l. 16, Père Aubry had said, « Il faut donc éloigner
de vous ces emportements.» Sainte-Beuve says, « L'effet des paroles
du religieux reste, quoi qu'on puisse dire, plein de grandeur et de
magnificence.»

10. **Si un homme revenait,** that is, came to life again.

25. **Ces filles.** Nuns; according to Florisoone, especially « les
filles de Saint Vincent de Paul.»

28. **Rose mystique,** the Virgin Mary, the *rosa mystica* of the Catholic Church.

76. — 13. **Tu ne sera pas toujours malheureux.** Chinard says,
« C'est Chateaubriand qui parle à ce moment.» These and the following are such words as Malesherbes might have used.

77. — 17. **Vierge des dernières amours.** See elaboration of this
motif in book XI of « Les Natchez.»

78. — 17. **Ton père,** that is Lopez, his benefactor. Chactas also calls him father.

22. **J'ai une dernière prière.** Was not this almost surely written after the death of Chateaubriand's mother (1798)? See A **13**–22 and **24**–16.

80. — 7. **Partez, âme chrétienne.** Florisoone says: « Paroles tirées des prières pour les agonisants: ' Proficiscere, anima christiana,' » *Depart, O soul.*

29. **Qu'attends-tu pour embrasser une religion divine?** This is Chateaubriand here. Is it not like an answer to his sister's letter announcing his mother's dying wish? A **13**–22.

81. — 6. **Les Funérailles** « sont d'une rare beauté et d'une expression idéale » (Sainte-Beuve). This part of « Atala » has been compared often to the conclusion of « Paul et Virginie » and of « Manon Lescaut, » both of which it surpasses in intensity of emotion.

82. — 6. **Condamné à la vie.** See « Mémoires » I, p. 24, « la chambre où ma mère m'infligea la vie » etc.

7. **Je tâcherai de me rendre digne.** See « Mémoires » II, p. 149, where he speaks of Charlotte Ives, « que je cherchais ainsi à me réconcilier par la gloire. »

28. **Nous transportâmes,** etc. The famous picture entitled « Les Funérailles d'Atala, » in the Louvre, is by Girodet-Trioson (1767–1824), 1808, pupil of David. Sainte-Beuve says of this paragraph: « Ces funérailles sont d'un effet extraordinaire et d'une perfection suprême. »

83. — 5. **Sensitives.** « Voyage en Amérique, » p. 203, gives « mimosa ou sensitive. »

14. **Ses mains d'albâtre.** Anatole France, in « La Vie Littéraire, » vol. II, p. 357, says, « C'est ainsi que l'amour exotique entra dans la littérature. . . . Chateaubriand vit ce qu'on n'avait pas vu jusqu'à lui . . . il découvrit la beauté étrange. Le premier, il infusa, il fit fermenter l'exotisme dans la poésie. »

15. **Scapulaire.** The scapulary is a small piece of black consecrated cloth suspended by a cord about the neck. It is supposed to confer upon the wearer the protection of the particular saint whose name it bears.

84. — 1. **La lune,** etc., to *aux rivages antiques des mers.* This passage was much criticised by Morellet, much admired by Flaubert.

Sainte-Beuve says: « Ce groupe de Chateaubriand est un marbre de Canova. Admirons ici le génie de Chateaubriand dans toute son originalité et sa beauté. Il trouve moyens d'ajouter quelque chose aux clairs de lune si délicieux et si élyséens de Bernardin de Saint-Pierre. Les siens ont quelque chose de plus mélancolique et comme de douloureux. » *Bientôt elle répandit*, to the period, was often declaimed aloud by Flaubert because of its harmoniousness.

3. **Vestale,** is pagan. The vestal was a priestess of the Roman goddess Vesta, dedicated to virginity. Vestal later came to mean, in elevated style, a Christian nun; and finally, a woman of exemplary chastity.

8. **Eau consacrée,** that is *l'eau bénite*, " holy water." Chactas, the Indian, is unfamiliar with the usages of the Christian church and with the correct terms referring to them.

11. **Job.** Chactas, unfamiliar with the Bible, calls Job a poet.

12. **J'ai passé comme une fleur** is from Psalm CII, verse 11, and not from Job, the same one which Bossuet uses as the basis for his funeral oration on Henriette of England. Compare Job XIV, 2.

14. **Pourquoi la lumière,** etc., is from Job III, 20.

17. **L'ancien des hommes.** Scriptural style: the old monk.

27. **Une barre d'or.** Sainte-Beuve says: « Après cette nuit de poésie et de prière cette barre d'or, ces martres, ces éperviers donnant le signal de l'aurore, sont de ces traits qui ne se trouvent point si on ne les a observés. On croit en effet à la réalité des choses qui sont attestées par de tels signes caractéristiques surpris dans la nature. »

85. — 4. **La vieillesse,** that is, the hermit; *la mort*, that is, Atala's body. (See A **85**–20).

9. **Son voile d'or.** See page 83, l. 12, « ses joues, d'une blancheur éclatante, » etc. We shall not criticize too harshly the fair skin and golden hair of Atala, the Spanish-Indian girl. Chateaubriand was an artist and a poet, and he was thinking of, and produced, a beautiful picture. Like the famous *sylphide*, Atala, as pictured here, represents his ideal. In « Mémoires » I, p. 405–406, he gives quite a different picture: « Les Indiennes qui débarquèrent auprès de nous, issues d'un sang mêlé de chéroki et de castillan, avaient la taille élevée. Deux d'entre elles ressemblaient à des créoles de Saint-Domingue et de l'Ile-de-France, mais jaunes et délicates comme des femmes du Gange. Ces deux Floridiennes, cousines du côté paternel, m'ont

servi de modèles, l'une pour *Atala*, l'autre pour *Céluta* ... Il y avait quelque chose d'indéfinissable dans ce visage ovale, dans ce teint ombré que l'on croyait voir à travers une fumée orangée et légère, dans ces cheveux si noirs et si doux, dans ces yeux si longs ... dans la double séduction de l'Indienne et de l'Espagnole. »

14. **O mon fils.** Chactas says this to René.

20. **La beauté** has been criticised as being *précieux*, that is, affected.

86. — 12. **Croyez-moi,** etc. Sainte-Beuve says : « De grandes paroles qu'un Bossuet ne désavouerait pas. »

87. — 14. **La vanité de nos jours,** a powerful initial expression of modern melancholy.

18. **Corneille,** more poetical than *corbeau*, is the form still usual in Canadian French. The crow is popularly believed to be long-lived.

26. **Le puits,** etc. Sainte-Beuve calls attention to the beauty and unusualness of this figure, to express that there is no mortal heart which has not its concealed sorrow.

89. — 1. **Epilogue.** Sainte-Beuve says : « L'épilogue d'Atala couronne dignement le poème. »

4. **J'ai fidèlement rapporté,** etc. It is the author, Chateaubriand, who again speaks here, as in the prologue.

14. **Siminole.** The Seminoles, or Lower Creeks, on the Apalachicola and Flint rivers. They separated from the Creek confederacy early in the eighteenth century, and occupied the greater part of Florida.

90. — 3. **Agannonsioni.** The Iroquois occupied the southern shore of Lake Ontario. See map.

8. The Indian mother with her pathetic song, affords another touch of local color.

91. — 9. **Apios.** As shown by the illustration in Charlevoix, vol. II, p. 21, it is the *apios rtubeosa*, member of the bean or pulse family. The flowers are brown-purple, violet scented. The plant grows in all the eastern half of the U. S.

16. **Crassus,** a family name in the Roman gens Licinia.

92. — 6. **Esquine,** or **squine,** *fem.*, china-root, shrubby, climbing smilax; Imlay : "Indians use esquine to make their hair grow long."

10. **Céluta,** daughter of René and Céluta, the Indian girl mentioned in the prologue.

93. — 3. **Saut.** Charlevoix's map, vol. III, gives, between L. Ontario and L. Erie, Sault de Niagara. The modern form is *la chute du Niagara;* but *chute* is used in another sense in « Atala »; see A **10**–18. Sainte-Beuve says: « La description de la Cataracte de Niagara pourrait, dit-on, ne pas perdre en grandeur et offrir plus de vérité. »

94. — 12. **Le massacre.** The tribe of the Natchez was settled near the present town of Natchez, Mississippi. The population of the tribe was about 2,500. In 1716 arose a quarrel with the French, who had, without their consent, erected Fort Rosalie in their country. The Natchez finally secretly organized a combination of several neighboring tribes, and on November 28, 1729, massacred 200 of the white intruders. After several weeks they fled across the Mississippi into Louisiana. They were attacked there in January, 1731, by the French, and lost half of their population. The survivors took refuge with other tribes, and died out as a nation.

15. **Chikassas.** The Chickasaw Indians were first known to the whites as residing east of the Mississippi.

16. Chactas perishes in « Atala, » along with Père Aubry and René. Possibly the original version is in « Les Natchez, » where Chactas dies a natural death (p. 452, Suite).

95. — 17. **Chéroquois.** The Cherokee Indians down to 1830 occupied the upper valley of the Tennessee River. They supported the English against the French.

20. **Père Aubry.** It was Père Jogues who was tortured. The real Père Aubry was not burned. As stated, A **53**–2, he died a natural death.

28. **Faiblesse.** Malesherbes also displayed great fortitude. « Il marcha à la mort avec une sérénité qui peut être comparée à celle de Socrate »; he was a « Franklin de vieille race » (see Nouvelle Biographie Générale). In 1791 Malesherbes was seventy years old. In « Atala, » p. 10, Chactas' age is given as seventy-three. Chactas, it may be, was intended originally to glorify Malesherbes; and in « Les Natchez, » bk. XII, p. 453, he has a peaceful end. Then came the year 1794, April 22, when Malesherbes, Chateaubriand's brother and the latter's wife were guillotined. The further composition of « Atala » was then, no doubt, interrupted for some time, and was altered finally to accord with the final version of « Atala » as we have

t douter, dans ces semaines d'égarement qui suivirent le
e Bungay que naquit René. »

Père Souël. Jean Souël, from the Province of Champagne,
n Canada in 1726; he was shot by the Yazoos, not far from
g, Miss., Dec. 11, 1729. The two friends meant here may
Fontanes (1757-1821), whose harsh criticisms he mentions
oires » II, p. 245, also p. 166, and Peltier (?), or Hingant (?).
t Rosalie. See A 94-12.

ant à l'événement. At the end of the eighteenth century
was in great vogue, a sort of promised land for the unfor-
nd the adventurous: tales of travels, descriptions of the
tates, studies on the American Revolution were published
apers and magazines. Chateaubriand became the mouth-
ll this for his generation. Franklin's invention of the light-
(1752) became famous too, and from then on America
he haven of natural scientists also. When Chateaubriand
t to see untrammeled nature as Ossian had seen it, it was
ral that he should have set sail for America.

2. Une lettre. It was while at Beccles, in 1794, that Cha-
d read of the guillotining of his brother and Malesherbes.
é », p. 124, l. 18; A 95-28. And in 1798 he received, at
he letter announcing his mother's death.

s sentiments secrets de son âme. What follows is the new
ntering the French novel spoken of in R note 1: the ex-
of individualism or romanticism, subjectivity, modern
ly, le mal du siècle, that unhappy product of the French
n. See R 108-9; 116-7, 15; 117-2.

ne des fleurs, May, as at the beginning of « Atala, » p. 9.
tchez. See A 7-4. Sainte-Beuve remarks, « Le cadre est
ment posé — son ennui est glorieusement encadré.»

10. Je ne puis, etc. Chateaubriand, in the following, nar-
own life, describes his malady, without, however, entering
psychology of the case. He shows René as the dreamer.
uve says: « Le récit est parfait, mesuré, cadencé, d'une
ligne et d'un enchaînement continu. » Le Breton, p. 168,
e portrait de Chateaubriand — mais de quelle idéale beauté
tu! Sauf le trait déplaisant (le 'signe fatal') l'art n'a rien
s poétique que le personnage de René. »

it, with Père Aubry, contrary to fact, suffering the violent death of
a martyred Malesherbes.

28. Un sauvage chrétien. This was in reality Gabriel Lallement
(Charlevoix, bk. 7). He said to Brébeuf, founder of the Huron mission (see map), when they were being tortured by Iroquois: " We
have been made a spectacle to the world, to angels and to men."
Father Brébeuf replied by a gentle inclination of the head. Both were
enveloped in bark, which was set on fire.

96. — 5. Un fer rouge. This was done to Père Brébeuf. He was
killed March 16, 1649, after twenty years of toil. See Charlevoix,
vol. II, bk. 7.

11. L'humble courage. This accords with what we know of
Malesherbes; but Père Brébeuf's nature was commanding.

13. Frappés, etc. Charlevoix's account is different: there, the
Indians continued their tortures.

16. Chef de la prière. The missionary, Père Aubry.

19. Le lac s'était débordé. Rochemonteix, p. 408, says: « Aujourd'hui il reste bien peu de chose de ces réductions chrétiennes
formées par les Jésuites aux environs de Québec et de Montréal; l'ini-
quité des hommes et le temps ont accompli leur œuvre de destruction.
Mais les vestiges, si faibles qu'ils soient, de ce qui fut autrefois les
Iroquois, les Hurons et les Abénakis parlent toujours des premiers
prédicateurs de l'évangile parmi ces tribus, » etc. Jacques Bigot,
1684, p. 26, speaks of « l'Eglise que nous avons dressée depuis quinze
jours, l'autre que nous avions dressée l'an passé ayant été détruite
par le débordement des eaux qui arriva. » It is possible that Chateaubriand is narrating here what he actually saw. See A 50-23, and 56-4.

98. — 3. Ainsi passe, etc. to the close of the paragraph gives poign-
ant expression to the habitual melancholy of Chateaubriand. Sainte-
Beuve says of these lines, « Nous reconnaissons l'accent pénétrant,
le cri d'aigle blessé — blessé de la blessure que certains cœurs ap-
portent en naissant. Ce cri va se prolonger et retentir dans tout
'René.' C'est de cette mélancolie poétique et séduisante qu'est éclos
'René.'» It is the melancholy which followed in the wake of the
French Revolution, which has been called « le mal du siècle. »

RENÉ, 1805

1. This book is Chateaubriand's confession, his autobiography, like the « MÉMOIRES d'outre TOMBE » a revelation of his inner self. With « René » individualism, personal poetry, modern melancholy, romanticism, enters the French novel, with the sombre romantic hero, the victim of fate. French literature now becomes, no longer objective as before, but subjective. René is Chateaubriand, with all his melancholy, but rendered idealistically poetical. The type of René is new, it is « l'homme fatal, » who is not happy himself, and who renders others unhappy. « René » continues the disclosures mentioned in note 98-3 of «Atala,» and gives us a famous and admirably exact picture of the « mal du siècle » spoken of there. Men's property had been destroyed, their nearest and dearest had been guillotined, and the survivors of the René type felt unequal to the task of reconstruction, addicted to idleness and to a selfish melancholy which seemed to them a form of noble suffering of the superior soul. Later in life, Chateaubriand deplored having written it. It is, however, a precious historical document of the state of men's minds during the first thirty years of the nineteenth century, after the excesses of the French Revolution. Petit de Julleville says of the French Revolution that it revealed « des secrètes parties du cœur: la vie, la patrie, la famille, le moi sont menacés, » and that weak ones like René gave up to *l'isolement* and to subjectivity in a way that was hardly thought of in classic literature.

This study of one phase of character, of unsatisfied aspirations, and of sadness without cause, from which all society suffered about 1800, had already been analyzed in 1774 by Goethe, in « Werther. » The *mal de René* becomes later *le mal romantique*. Melancholy was new in French literature. « René » describes Chateaubriand's personal sufferings, gives his portrait and that of his day. Chateaubriand thus helped develop, through « René, » the sentiment of the *moi*, that is, the individualism, the subjectivity, the soul-dissection, from which modern lyric poetry proceeds; and he created with it the personal novel, with the author himself as hero. « René » then, is a study of melancholy not due to external, to objective causes. Lamaître says: « Tout le romantisme vient de 'René.' » He adds

that the first twenty pages are what one of « René. »

101. — 1. **En arrivant.** As stated in that Chateaubriand never saw the Mississ sail from Saint-Malo, his native city, on He tells of the trip over in his « Voya monks en route for Baltimore on the s soon to forget him. He *mettait de l'âme*

1. **Obligé de prendre une épouse.** vivait point avec elle » expresses exactly Chateaubriand and his wife. See A 8-1 dress, pink *pelisse*, who « laissait pendre cheveux blonds naturellement bouclés » p. 5), becomes the Céluta of the « robe whose « deux talons de rose en releva (« Les Natchez, » bk. I, p. 2), and w geaient sur son cou et tombaient des (bk. III, p. 177). And it is Sainte-B the everlasting white dresses of Mme The grandfather and brother of the by uncle and brother with the orphar had an uncle too. Why did the uncl briand's mind the grandfather that in is retained? Perhaps because it was according to the « Mémoires, » vol. I briand of trying to elope with Célest

3. **Un penchant mélancolique.** A in « René, » invented « la mélancolie « René, » a lover's happiness was c his lady's hand. René is much mo mean with him " happiness ever aft lation, and his heart has secret pla can enter. As expressed in « Les N de René ne se raconte point. » See

5. **Semblait sauvage,** etc. This of mind after his parting with Char II, bk. 8, p. 141: « A Londres, on répondais point, » etc. Chinard say

13. **Trouble.** Chateaubriand was a firebrand on the ship coming over to America, from all accounts. See R **101**–1.

19. **En lui-même.** That is, it is purely subjective. See R 1.

23. **Ma mère.** This is invention, if considered as autobiographical. Chateaubriand's mother did not die until 1798. See A **13**–22.

24. **Un frère.** Chateaubriand was the youngest of ten children, of whom four were boys. He therefore had three brothers, two of whom died in infancy.

25. **Son fils aîné.** This was Jean-Baptiste-Auguste, nine years older than François-René. He married the granddaughter of Malesherbes. See A **95**–28.

26. **Des mains étrangères.** Chateaubriand was at Plancoët, a village near Dinan, until he was three years old.

29. **Tour à tour bruyant et joyeux.** See « Mémoires, » vol. I, where he describes his childhood in similar vein.

104. — 5. **Au château paternel.** This is the château de Combourg, at Combourg, Ile-et-Vilaine, Brittany, between Saint-Malo and Rennes. The present owners are the Count and Countess de Durfort (née Chateaubriand). The latter is the great-niece of Chateaubriand.

8. **Mon père.** His father, René-Auguste de Chateaubriand. The « Mémoires » picture him as taciturn and despotic. See R **105**–24.

10. **Amélie.** His sister's name was Lucile-Angélique. She was four years older than Chateaubriand. Bédier supposes that Chateaubriand may have taken the name *Miscou* from an island (A **13**–4). If we wish to assume that *Amélie* also was derived from a geographical name, we find mentioned by Bartram, p. 62 and p. 64, Amelia Island, on the northern border of East Florida, and at the Capes of St. Mary. On p. 68 he speaks of Amelia Narrows. Amelia Island is mentioned also by John Bartram (father of William), on p. 26 of his Journal.

16. **La patrie.** He expresses here his deep love for his native land. See R **104**–19.

21. **Tantôt,** etc. Sainte-Beuve says: « Tout ce qui suit et qui se rapporte à Amélie est une mélodie. »

24. **Des vers.** His sister Lucile inspired in him the desire to write: « Tu devrais peindre tout cela, » she told him.

25. **La nature.** Nature, religion, native land, are three of the

main themes of « René, » and of the poets following Chateaubriand, as in Ossian, a nature free of mythological divinities. See R **123**–21.

27. **Seize années.** From 1783–1785, from his fifteenth to his seventeenth year, Chateaubriand was at Combourg.

105. — 3. **Cloche.** Chateaubriand discovers also the poetry of the bells, adds this new source of poetry. Compare Schiller's « Die Glocke,» Lamartine's « La Cloche du Village, » and « Recueille-ments. » See also A **46**–22, and Hugo's extension of the motif in « Notre-Dame. »

9. **Quel cœur,** to the close of the paragraph. Faguet calls attention to the rythmic beauty and sonority of this sentence.

22. **Tristesse.** « René est le grand rêveur et le symbole même de la mélancolie moderne » (Le Breton). As Lemaître remarks, the reveries of René are precisely the same as those later of Lamartine; namely,

a). *La tristesse,* like Job, because all returns to dust.

b). *L'ennuie,* because of the monotony of existence, with the *vide du cœur.*

c). Feeling of satiety, because there is nothing new to experience.

d). Melancholy, because our life is unequal to our dreams; along with self-analysis and the craving for solitude. See A **82**–6, and Lamartine, in « Le Désespoir »: « Quel crime avons-nous fait pour mériter de naître ? »

24. **Mon père, etc.** This is not historical. Chateaubriand's father died in 1786, while the former was in the army, at Cambrai.

106. — 16. **Château gothique.** The chateau of Combourg dates from the fourteenth and fifteenth centuries. The large tower dates from 1100, according to « Mémoires » I, p. 27.

107. — 4. **Un monastère.** Chateaubriand adds another motif here: the poetic beauty of monastic life. He pictures in the following lines the utility of monasteries, the necessity for such refuges from the distractions of life. He himself at one time contemplated entering monastic life.

108. — 4. **Je me résolus à voyager.** To here Chateaubriand has narrated his youth. To seek happiness, to cure his melancholy, he now enters upon his travels. This living beyond one's horizon, this fancied bliss in places where one is not present, is another characteristic of the romantically inclined, and Flaubert holds it up to ridicule in « Madame Bovary. »

9. **L'inconséquence,** etc., another theme frequently recurring in Chateaubriand, that of *l'isolement.* See R **101**-3; and de Vigny's « Moïse. »

14. **La Grèce.** Chateaubriand did not visit Greece and Rome until some years later, Rome in 1803 and Greece in 1806 (or 1807 ?). His « L'Itinéraire, » 1911, continues in similar vein.

25. **Je méditai,** etc. See Lamartine's imitation of this in « Premières Méditations. »

109. — 7. **Les races vivantes.** His sadness has not been cured by his travels amongst the sites of ancient civilization. He then seeks happiness amongst modern peoples. On p. 114, l. 8, he says: « L'Etude du monde ne m'avait rien appris. » As to these « cris inconnus dans la littérature française avant Chateaubriand, » see R **119**-19, A **98**-3.

11. **Une statue.** Prof. Bowen, in his edition of « Atala » and « René, » p. 191, says: " While there are statues of Charles II in London, there appear to be none back of or near Whitehall ... The 'sacrifice' mentioned must refer to the beheading of Charles I, who was executed at Whitehall in 1649." Chateaubriand, in « Essai historique, » p. 324, says, « J'arrivai ... jusqu'au lieu où l'on a érigé ... la statue de Charles Second, montrant du doigt le pavé arrosé du sang de son père. A la vue des fenêtres murées de Whitehall, de cet emplacement qui n'est plus une rue, mais qui forme avec les bâtiments environnans une espèce de cour, je me senti le cœur serré », etc.

21. **Que sont devenus,** etc. Again the melancholy inspired by the thought of the transitoriness of this life. See Lamartine's « Eternité de la nature, brièveté de l'homme. »

28. **Ces chantres.** A favorite thought of the Romanticists. Chateaubriand says in his preface to the first edition of « Atala, » note 4: « Le poète, quoi qu'on en dise, est toujours l'homme par excellence, et des volumes entiers de prose descriptive ne valent pas cinquante beaux vers d'Homère, de Virgile ou de Racine. » Sainte-Beuve says: « Voilà le secret de René — il croit à l'immortalité de la poésie, donc René croit à quelque chose, et le jour où il se sentira certain de posséder lui-même ce seul talent incontestable, il sera sauvé. »

110. — 10. **La Calédonie.** Former Roman name of North Britain, still used in poetry for Scotland.

10. **Le dernier barde.** This refers to the poems of Ossian, (see A **7**–26). Ossian and his Fenian followers were defeated in 283, and Ossian spent many years in fairyland.

16. **Cona.** In Ossian, bk. 6, in the poem « Fingal, » Grumal is spoken of as a chief of Cona.

19. **David,** son of Jesse, King of Judah and Israel. He kept his father's sheep in the desert steppes of Judah, and there acquired that skill in music which led to his first introduction to Saul (I Sam. XVI, 14–23). To the later generations David was pre-eminently the Psalmist and the founder of the Temple service.

21, 22. **Selma, Fingal.** Selma, a kingdom in Ossian, with walls and towers. Fingal, warrior, father of Ossian, King of Morvan. The Ossian poems are entitled " Fingal," " Temora," " Selma," etc.

25. **Italie.** Like René, Italy, Greece, the Orient, becomes the route *par excellence* of all subsequent poets.

111. — 15. **La nature.** See R **104**–25.

113. — 10. **Plus qu'un autre.** Chateaubriand regarded his sufferings as exceptional.

18. **Cabane.** The Indian Chactas' designation of the palace of Versailles.

114. — 4. **Impiété.** Characterization of the eighteenth century.

115. — 8. **Assis dans une église,** etc., a famous paragraph. Compare Musset's « L'Espoir en Dieu. »

19. **Décharger,** etc. In « Mémoires » I, p. 160, he tells of his attempted suicide.

19. **Changer en moi le vieil homme,** that is, to give him faith.

22. **De retremper son âme,** etc. See Psalm CX.

26. **Le soir.** See his gallery of *nuits*, A **31**–26.

27. **Sur les ponts,** etc. This habit descended to the Romanticists.

116 .— 7. **Pas un ami.** L'isolement. Compare Vigny's « Moïse. »

9. **La cathédrale gothique.** Called " Gothic " in derision, meaning barbaric, first by Raphael (1483–1520), and then on down to modern times. Chateaubriand, by re-awakening religious feeling and by re-creating a love for the Middle Ages, may be said to have restored the Gothic cathedral in French literature (see Gautier). Hugo gives a powerful resurrection of the same motif in « Notre-Dame ».

So the poetry of nature, religion, native land (R p. 104), of the bells (R p. 105), of the Gothic cathedral are all new sources of lyricism interpreted by Chateaubriand.

15. **Je me mis . . . à me demander ce que je désirais. Je ne le savais pas.** This expresses the fundamental ill of the « mal du siècle. »

22. **Avec l'ardeur,** etc. See Chateaubriand's famous phrase, « Je mets de l'âme à tout. » See R **101**–1.

117 — 2. **Un bien inconnu.** This « passion de l'inconnu » is characteristic of all the later Romanticists. See Lamartine's « L'Isolement. » Antiquity, and the man of the Renaissance, seek an ideal in « le possible et le fini. » The Romantic search is more dangerous but also more poetical. Chateaubriand suffers from constant melancholy and ennui because his imagination always outstripped reality.

12. **N'ayant point encore aimé.** This entire sentence and the one following, poignantly express « le mal du siècle. »

27. **Quelques charmes.** Nature, as stated in the preceding paragraph, has not cured his melancholy; yet the latter, as he states here, is not without charm.

118. — 17. **L'automne.** Autumn is a favorite season of Chateaubriand's. As he says in « Mémoires » I, bk. 3, nature is then most like the human soul. From here to *le démon de mon cœur* (p. 119, l. 24), as Braunschvig says, describes « l'exaltation imaginative de sa jeunesse, exprime bien l'état d'âme d'un jeune homme atteint du 'mal du siècle.' »

19. **Un de ces guerriers,** refers to Ossian.

21. **J'enviais,** etc.; note the greater pathos than in Rousseau, the poetry of René's melancholy, and the ungarnished prose of its imitator, Constant, in « Adolphe. »

119. — 1. **Sur de grandes bruyères.** This recalls his native Brittany.

7. **Un étang désert,** as at Combourg; also the *clocher solitaire.*

18. **Ces régions inconnues,** is a motif much used by nineteenth-century poets.

19. **Levez-vous vite,** etc. Immortal accents, says Sainte-Beuve. *Orages* here means *vent de la mort.* « Ces cris, qui pour la première fois dans la prose font vibrer la note du lyrisme, caractérisent la rénovation littéraire de notre siècle. C'est l'expression exaltée du

sentiment qui se traduit par ces exclamations: *Levez-vous vite, orages désirés.*» Petit de Julleville continues: « Il y a bien là de l'amertume, une sorte de découragement qui se refuse au bonheur, mais qui n'a rien de commun avec la misanthropie classique d'Alceste et de Timon. Chez René, comme chez Chactas le dégoût des hommes naît du désir de les trouver meilleurs qu'ils ne sont. »

120. — 9. **J'étais seul,** that is, exceptional. See R **120**-18.

9. **Une langueur secrète,** etc., to the close of this paragraph, again poignantly expresses « le mal du siècle.»

18. **Cette étrange blessure.** René's sufferings had already been undergone by Werther (Goethe) and by others, had always existed, from and before Job on down. René, however, believes that he alone has so suffered.

19. **De quitter la vie.** See R **115**-19.

23. **Mon cœur aimait Dieu, et mon esprit le méconnaissait.** See Chateaubriand's conversion, A **13**-22.

121. — 3. **Vint à me manquer.** He means that he no longer had it.

29. **La seule personne.** See « Mémoires » I, p. 140: « Je croissais auprès de ma sœur Lucile; notre amitié était toute notre vie »; and p. 142: « Jeunes comme les primevères, tristes comme la feuille séchée, purs comme la neige nouvelle, il y avait harmonie entre nos récréations et nous, » as in « René, » p. 104, l. 10.

122. — 16. **Fais le serment.** René, therefore, will not kill himself, as did Werther.

123. — 10. **Un objet réel de souffrance.** It comes later (p. 135, l. 15), and then he no longer wishes to die.

21. **La santé.** Chateaubriand, the poet, is subjective in his treatment of nature: he associates it with all his sentiments. Autumn inspires him with the desire to flee on the wings of the wind: in the calm and silence of the night he would have prayed the Eternel to deprive him of the rest of his life to give it to his beloved; the winter comes on, and he droops; and here, with the coming of spring, he revives again. See Des Granges, in his « Histoire de la Littérature Française.»

125. — 21. Solitude and lack of occupation, according to this, are at the root of his trouble.

126. — 13. **Le couvent.** Of Lucile « Mémoires » I, p. 140, states:

« Elle se voulait ensevelir dans un cloître. » She, however, never became a nun. When thirty-one years of age, Aug. 2, 1796, she married M. de Caud. She died in Paris, Nov. 9, 1804, and is buried in an unknown grave.

18. **Au milieu des bois,** that is, at Combourg.

21. **Plus âgée que vous.** See R **104**–10.

127. — 3. **L'Ile-de-France,** former name of the island now called Mauritia, east of Madagascar, in the Indian Ocean.

8. **La mémoire périt si vite.** This is the constant lamentation later of Pierre Loti.

128. — 25. **Aller à B . . .** Chateaubriand lived at Brest prior to his return to Combourg in 1783, and showed there also his leaning towards solitude and revery. See R **135**–23.

26. **La terre,** etc., is Combourg.

129. — 3. **Mon frère aîné.** See R **103**–25.

26. **Ma mère.** Chateaubriand was born, not at Combourg, but at Saint-Malo. His mother died at Saint-Servan (?), near Saint-Malo, while he was still in England. See A **13**–22.

131. — 6, 7. **Cloches, monastère.** See R **105**–3, **107**–4.

132. — 8. **La colombe mystique.** See Matthew III, 16. This is a motif much used in Gothic architecture, as in the Crowning of the Virgin, at Chartres.

133. — 19. **Une criminelle passion.** This is not to be taken literally. See R **121**–29. Chateaubriand, steeped in the lore of the Ancients, is no doubt here merely striving to gain dramatic intensity by confining the tragic circumstances to persons closely related, after the manner of « Œdipus » (A **7**–26). Thus in « Atala » the hero and heroine are foster brother and sister, while in « René » they are brother and sister in reality.

135. — 3. **Première proie.** The « homme fatal » is speaking here. See R **103**–10.

15. **Je n'avais plus envie.** He now has the « objet réel de souffrance » desired on p. 123.

23. **Au port de B. . . .** Chateaubriand sailed for America, not from Brest, but from Saint-Malo.

138 — 11. **La dernière nuit.** Sainte-Beuve calls attention to the perfection of beauty of the description here, the distant cry of farewell to Amélie and to the Old World. The situation is somewhat

similar to the one told of in « Mémoires » II, p. 6, where Chateaubriand's bride « fut enlevée au nom de la justice et mise à Saint-Malo, au couvent de la Victoire, en attendant l'arrêt des tribunaux. »

140. — 19. **D'inutiles rêveries.** Chateaubriand is expressing here his real philosophy of life. See the following note.

141. — 13. **Quiconque,** etc. This is the philosophy arrived at by Faust also (part II): that happiness is attained by rendering service to our fellow-men.

142. — 17. **Il retourna.** He may be thinking here of his own wife. After eight years of absence he returned to her, also without finding at least complete happiness. He has, however, left an appreciative estimate of her character in Mémoires II, p. 7, fol. After her death, in 1847, he, actuated by his ever high sense of honor, proposed marriage to his faithful and devoted friend, Mme Récamier. She declined, but was one of those at his bedside when he died.

18. **Il périt,** etc. Is he not referring here to his own early death predicted by the doctors?

20. **Le massacre.** See A **94**–12.

21. **Un rocher.** The real René's tomb is not in Louisiana. It stands solitary on the rocky island at Saint-Malo.

VOCABULARY

A

abandonner, to give over to

abord, *m.*, access, manner of receiving

aborder, to come near, board, land

accrocher (s'), to cling to

aiguillon, *m.*, goad, sting

airain, *m.*, bell, brass

alcée, *f.*, holly-hock (?), or rose-mallow. *See* A 5-20

allégresse, *f.*, joy

aller, A 5-3; 36-16

allonger, to lengthen ; — ses pas to hasten

Alpes; frères des —, the Saint-Bernard monks

Amélie, R 104-10

amollir, to soften

amonceler, to lay in a heap, pile up

anse, *f.*, bay, cove, creek

apios, *m.*, groundnut, or wild bean; A 91-9

appareil, *m.*, display, pomp

appareiller, to get under way, weigh anchor

aquilon, *m.*, cold blast, north-wind

argile, *f.*, clay

arpenteur, *m.*, surveyor

assistance, *f.*, bystanders, company, audience

assister, to be present at, witness

assoupir (s'), to fall asleep

Atala, A 15-24

attendrir, to move, touch

attenter, to attempt; — à ses jours, to try to commit suicide

atterrer, to overwhelm

attiéder, to abate, cool

Aubry, A 46-26; 49-18; 51-4, 29; 52-8; 53-2; 55-3; 56-13; 61-8; 65-5; 75-7; 94-16; 95-20, 28.

avènement, *m.*, advent, coming

B

balancement, *m.*, alternative movement back and forth, from side to side; rocking, waving

bander, to bend, span

biche, *f.*, hind, roe

bignonia, *m.*, trumpet-flower

bocage, *m.*, grove; — de la mort, cemetery

borne, *f.*, bounds, confine, limit

bouffée, *f.*, gust, puff

bouleau, *m.*, birch-tree

bourbeux, muddy

bramer, to bell, bellow

brouter, to browse, graze

broyer, to crush

bruire, to rattle, rustle

bruissement, *m.*, rattling, rustling, whirring

bûcher, *m.*, funeral-pile, stake

C

caille, *f.*, quail

calebasse, *f.*, gourd

calice, *m.*, calyx, chalice, or sacred vessel

calumet, *m.*, pipe

cantique, *m.*, hymn, song

carcajou, *m.*, wolverine

carquois, *m.*, quiver

castor, *m.*, beaver; **peau de —,** bag in which the papoose or Indian baby is carried

cavale, *f.*, mare

Céluta, A 8–11; **92**–10; R **101**–1

cendre, *f.*, ashes

cep, *m.*, vine-stock

cercueil, *m.*, coffin

César, *m.*, emperor

Chactas, A **7**–8; **15**–24; **94**–16; **95**–28

chair, *f.*, flesh

chaire, *f.*, pulpit

champêtre, rural, rustic

chantre, *m.*, poet, singer

chardon, *m.*, thistle

charrier, to bear, carry along

chaumière, *f.*, cottage, thatched house

chauve-souris, *f.*, bat

chétif, pitiful, wretched

chevrette, *f.*, doe, kid

chevreuil, *m.*, roe-deer

choquer (se), to clash

cicatrice, *f.*, scar

cigogne, *f.*, stork

cime, *f.*, summit, top

cingler, to sail, scud along

colibri, *m.*, small bird similar to the humming-bird

colombe, *f.*, dove; also a pure girl; **— de Virginie,** ground dove

coloquinte, *f.*, bitter-apple, a gourd fruit the size of an orange; Littré defines it as a " concombre fort amer "

compatissant, compassionate

convoi, *m.*, funeral procession; also convoy, fleet

copalme, *m.*, a species of the liquidambar, or sweet-gum tree

cornet, *m.*, cornucopia, horn

couchant, *m.*, west

couler, to exhaust, while away

courber (se), bend, curve

course, *f.*, journey, running

creuser (se), to become hollow; **les yeux se —,** to become thin

creux, *m.*, hollow (of a tree)

croiser (se), to intersect

croissant, *m.*, crescent, crescent-shaped horns

crosse, *f.*, crosier

cygne, *m.*, swan

cyprière, *f.*, cypress woods

D

dais, *m.*, canopy

déceler, to disclose, reveal

décharger (se), to free

déchirement, *m.*, anguish

défaillir, to grow weak, swoon

défrichement, *m.*, clearing

délaisser, to abandon, forsake

délasser (se), to repose

démarche, *f.*, gait, step

démentir, to belie

dépouille, *f.*, corpse, remains

dépouiller, to strip garments from

dérober, to steal, take away from

dérouler, to spread out, unfold, unroll

détendu, deprived of hangings, of tapestries

devancer, to outstrip, precede, anticipate

distraire, to divert, turn away

distrait, absent-minded, distracted, wandering

E

écart, *m.*, disgression, fault

échevelé, disheveled

échouer, to beach, strand

éclairer, to enlighten

éclatant, brilliant, gaudy

écorce, *f.*, bark; — sucrée de bouleau, sweet birch

écouler (s'), to flow away, pass away

écueil, *m.*, reef, rock

égarer, to lead astray, wander; — (s'), to lose one's way

élan, *m.*, elk, moose-deer

embrasé, burning, flaming

émousser, to blunt, dull

empailler, to stuff

empêcher (s'), to abstain, forbear

empire, *m.*, hold, sway

emportement, *m.*, frenzy, outburst of passion

enchanté, bewitched

endormir, to lull

endormir (s'), to fall asleep

enduire, to coat, smear

enfler (s'), to distend, elate, swell

enfoncer, to drive in, sink; — (s'), to sink

engourdissement, *m.*, torpor

engraisser, to fertilize

ensevelir, to lay out, bury

entêté, infatuated

entortiller (s'), to twist, wind

entraver, to clog, fetter, thwart

épanchement, *m.*, effusion, outpouring

épervier, *m.*, sparrow-hawk

éphémère, *m.*, ephemera, day-fly

érable, *m.*, maple-tree

escarpement, *m.*, steep place

esquine, *f.*, China-root

étager, to dispose in tiers

étamine, *f.*, linsey-woolsy

étole, *f.*, stole

exaucer, to grant

F

faire, to do, make; en être fait de, to be over with

faîte, *m.*, ridge, top

falaise, *f.,* cliff
familier, tame
fanal, *m.,* beacon, signal-light
faner, to fade
faon, *m.,* doe, fawn
faséole, *f.,* phasel, kidney-bean
fidélité, *f.,* protective calm
flamant, *m.,* flamingo
flétrir, to blight, brand, mark
fleurir, to adorn, decorate with flowers
flot, *m.,* crowd, flood, wave
fondrière, *f.,* bog
fosse, *f.,* grave
foudroyant, crushing, overwhelming
fougueux, fiery, impetuous
fouiller, to dig, search
framboisier, *m.,* raspberry-bush
frémir, to tremble
frêne, *m.,* ash-tree
frimas, *m.,* hoar-frost, rime
froissement, *m.,* affront, clashing, vexation
funèbre, funeral, funereal
funeste, fatal
fuyard, *m.,* fugitive, runaway

G

gage, *m.,* pledge, security
gaillard, *m.,* forecastle, quarter-deck
garantir, to protect, shelter
gaule, *f.,* pole, switch
gêner, to annoy, disturb
génie, *m.,* genius, spirit, divinity
gerbe, *f.,* bundle, sheaf

giraumont, *m.,* pumpkin
gland, *m.,* acorn
glas, *m.,* knell, tolling

H

haleter, to pant
hospice, *m.,* refuge
hostie, *f.,* host, consecrated wafer
humecter, to moisten
hymen, *m.,* marriage

I

impie, *m. or f. adj.,* impious, irreligious; **en —,** like an impious person
inconséquence, *f.,* inconsistency
inculte, uncultivated, untilled
inhumer, to bury, inter
insensé, foolish, insane
interdit, abashed, confused

J

jeûne, *m.,* abstinence, fast
jonc, *m.,* rush
joncher, to scatter, strew
jour, *m.,* day, light, life; **à —,** with openwork, pierced; **prendre —,** to make an appointment

L

labourer, to plough, toil through
liane, *f.,* creeper, bindweed
lierre, *m.,* ivy
limon, *m.,* mud, ooze, slime

lin, *m.*, linen

losange, *m.*, lozenge, diamond shape

lumières, *f. pl.*, intelligence

M

maigrir, to grow thin, waste away

Malesherbes, A 11–12; 47–27; 48 –26; 49–11, 12; 50–4; 53–28; 55–3; 56–5; 59–22; 60–10; 65–5, 11; 70–13; 76–13; 95–28; 96– 11; R 103–25

mander, to send word to

manitou, *m.*, Indian divinity, fetish

manquer, to be lacking, to fail one

marécageux, marshy

martre, *f.*, marten, sable

massif, *m.*, clump, cluster, group, solid mass

mauve, *f.*, mallow

méridional, southern

Mico, *m.*, head or chief of the nation, king

mortuaire, mortuary; drap —, pall

mouvement, *m.*, burst, feeling, impulse

mûrier, *m.*, mulberry-tree

mystère, *m.*, mystery; choses du —, secret, inmost sentiments of love

N

nappe, *f.*, sheet

nénuphar, or nénufar, *m.*, water-lily

néophyte, *m.*, neophyte, a person newly baptised or converted

nicher, to build, nestle

noces, *f. pl.* wedding

nonpareille, *f.*, grosbeak

noviciat, *m.*, novitiate, time of probation of novices, before the formal taking of the veil

noyer, *m.*, walnut-tree

noyer, to drown

nue, *f.*, cloud

O

office, *m.*, worship, celebration, ceremony

oiseau, *m.*, bird; — moqueur, mocking bird

oiseleur, bird-eating

original, *m.*, American elk, moose

ossements, *m. pl.*, bones of the dead

P

paître, to graze

pan, section, stretch

passager, passing, transient, migratory

passer, to exceed, overstep

pâtre, *m.*, herdsman, shepherd

pays, *m.*, country; — des âmes, the infernal region of the Ancients

pennage, *m.*, feathers, plumage, feather head-dress of the Indians

percer, to appear

pétri, steeped in

petun, *m.*, snuff, tobacco

phare, *m.*, beacon-light, light-house

pistia, *m.*, water-lettuce, " floating lettuce "

pivert, *m.*, woodpecker

poudre, *f.*, dust

profession, *f.*, public taking of the veil, becoming a nun

profit, mettre à —, to employ usefully, to profit from, heed

R

radeau, *m.*, raft

ramier, *m.*, ring-dove, wood-pigeon

rassasié, full of, satiated

recueillement, *m.*, meditation, self-communing, concentration

reculé, remote, distant

rejaillir, to gush forth

relever, to absolve

repli, *m.*, fold, recess, retreat

reserrer, to contract

retour sur moi-même, self-examination

retourner sur les pas, to retrace one's steps; s'en —, to depart

retremper, to strengthen, give new vigor to

revers, *m.*, slope

rizière, *f.* land where rice is cultivated

ronce, *f.*, bramble

S

sacerdoce, *m.*, priesthood

salut, *m.*, salvation, welfare

savane, *f.*, prairie, savannah, large grassy plain of America

savinier, *m.*, juniper-tree

septentrion, *m.*, north

siècle, *m.*, century, world (in opposition to the religious life)

smilax, *m.*, or green briar, member of the lily family

soleil, *m.*, day, sun, chief

soustraire, to remove, withdraw; se —, to avoid, escape

surcroît, *m.*, extra measure

T

tabernacle, *m.*, niche, recess, place of concealment

tertre, *m.*, hillock, mound

toucher à, to arrive at, attain to, be on the point of; faire — à, to make palpable to

traîner, to drag along, spin out

trait, *m.*, draft

trépas, *m.*, death

tunique, *f.*, tunic, under garment, garment worn by bishops under the chasuble

V

vague, *f.*, wave

vase, *f.*, mud, slime

vide, *m.*, void, vacuum, emptiness

violier, *m.*, gilliflower, wallflower

vœu, *m.*, vow, wish

voile, *f.*, sail

voltiger, to flutter, hover

Y

yeuse, *f.*, evergreen-oak

8783